APRENDE A COMER

PARA JÓVENES Y ADULTOS. FORMACIÓN NUTRICIONAL BÁSICA

Carmen López-Briones Reverte

Aprende a comer. Para jóvenes y adultos

© Carmen López-Briones Reverte

ISBN: 978-84-9948-249-1
Depósito legal: A-589-2011

Edita: Editorial Club Universitario Telf.: 96 567 61 33
C/ Decano, n.º 4 – 03690 San Vicente (Alicante)
www.ecu.fm
e-mail: ecu@ecu.fm

Printed in Spain
Imprime: Imprenta Gamma Telf.: 96 567 19 87
C/ Cottolengo, n.º 25 – 03690 San Vicente (Alicante)
www.gamma.fm
gamma@gamma.fm

A mis hijas,
porque, contra viento y marea,
formamos el mejor equipo
navegando juntas
en el deporte de la vida.

ÍNDICE

PRÓLOGO

Cada día recibes más consejos sobre cómo alimentarte. Los envases de productos alimenticios contienen información nutricional, los medios de comunicación te bombardean continuamente diciéndote que si "El índice de masa corporal de las modelos no llega al mínimo saludable", que si "Esta leche está enriquecida con omega 3", que si "Esta mayonesa o aquella cerveza contienen menos calorías", o que "Debes cuidar tu cuerpo tomando tal yogur enriquecido con vete tú a saber qué cosas". Escuchas palabras que no tienes ni idea de lo que significan y piensas que "si lo dicen en la tele... debe ser verdad", recibes datos contradictorios y desconocidos para ti y cuando llegas al supermercado no eres capaz de decidir qué es lo que más te conviene, porque la verdad es que nunca te enseñaron qué o cómo debías comer, así es que acabas comprando aquello que oíste o viste en aquel anuncio, sin pararte a leer la etiqueta de información nutricional porque, de todas formas, no entiendes muy bien lo que dice. El mundo de la nutrición y las dietas se ha convertido en un negocio en el que son muchos los que ganan dinero prometiendo salud a cambio de venderte algo que no solo no funciona sino que en ocasiones te puede costar una enfermedad importante.

Seamos inteligentes. Si la Organización Mundial de la Salud, el Departamento de Salud de los EE. UU., la Sociedad Española de Nutrición Comunitaria y otros organismos que están ahí para velar por nuestra salud recomiendan la dieta mediterránea como "fuente de salud y bienestar", ¿por qué nos empeñamos en seguir modelos alimenticios de otros países?, ¿por qué no volver a nuestra sabrosa y sana cocina tradicional en lugar de apuntarnos a la hamburguesa, la comida china y a esos platos preparados tan llenos de aditivos para darles sabor y color y rebosantes de grasas de dudosa procedencia? Las consecuencias de la mala alimentación se hacen notar antes o después con la aparición de esas enfermedades que están tan de moda: hipertensión, obesidad, colesterol, triglicéridos, diabetes, cáncer...[1], eso también te suena.

---

[1] Según diversas investigaciones un 30 % de los cánceres están originados por una mala alimentación.

¿Por dónde empiezo?, te estarás preguntando. La respuesta es bien sencilla. Creo que todos debemos empezar por adquirir una educación nutricional. Si los niños aprenden a comer desde bien pequeños llegarán a convertirse en adultos sanos, por lo tanto comencemos ofreciendo a nuestros hijos la oportunidad de aprender a cuidarse, que no es menos importante que las matemáticas o las ciencias sociales. Pero conscientes de que un niño no es el que hace la compra ni cocina en una casa, parece obvio pensar que en la tarea de aprender a comer debe hacerse partícipes a todos los miembros de la familia y que los primeros implicados deben ser los padres.

INTRODUCCIÓN

¿Qué pretende este libro?

Simple y llanamente que aprendas los principios básicos de la nutrición para que seas capaz de diferenciar lo que te conviene de lo que no y para que no caigas en la tentación de las dietas milagro, de eliminar alimentos de tu dieta de forma aleatoria o de tirar tu dinero comprando productos absurdos que no te aportan nada interesante o que incluso ponen en peligro tu salud.

¿A quién va dirigido este libro?

A cualquier persona joven o adulta que desee aprender a cuidar su alimentación de una forma correcta, equilibrada y sencilla.

¿Qué voy a aprender con este libro?

En un lenguaje muy sencillo aprenderás los principios básicos de la nutrición, qué son la energía y el metabolismo, aprenderás que no es lo mismo adelgazar que perder peso y cosas tan interesantes como que la proteína del huevo es la de mayor valor biológico o la función que desempeñan los diferentes nutrientes en el organismo. Encontrarás además dietas equilibradas en las que se come de todo y no es necesario pesar nada, consejos, información sobre alimentos y muchas otras cosas que te sorprenderán y te resultarán muy útiles.

Capítulo 1
ALIMENTACIÓN Y NUTRICIÓN

1. La importancia de alimentarse bien

Que la alimentación está relacionada con la salud de todos los órganos de nuestro cuerpo, es algo de lo que no cabe duda. "Somos lo que comemos", decía Hipócrates y añadía "que tu alimento sea tu medicina". Comer sano alarga la vida, previene el cáncer, los infartos y el alzhéimer, protege el cerebro e incluso mejora la fertilidad. ¿Se puede pedir más?

2. ¿Comemos, nos alimentamos o nos nutrimos?

Solemos pensar que comer, alimentarse y nutrirse son lo mismo, pero lo cierto es que son conceptos diferentes que no debemos confundir.

Comer es introducir algo en nuestra boca y tragarlo. En realidad podríamos comer cualquier cosa, desde un trozo de madera hasta un trozo de papel, sin que sea necesariamente un alimento.

Alimentarse en cambio *es proporcionar a nuestro cuerpo sustancias que le sirven para mantener su existencia,* de la misma manera que la leña "alimenta" al fuego.

La alimentación es, por lo tanto, algo que hacemos de forma voluntaria y consciente, por lo que podemos modificarla variando el tipo de alimentos que ingerimos.

La nutrición, sin embargo, *es un proceso mucho más complejo.*

3. ¿Qué es la nutrición?

La nutrición es el proceso mediante el cual nuestro organismo obtiene las sustancias químicas –llamadas nutrientes– *que contienen los alimentos y las utiliza para fabricar sus células o para mantenerlas.*

Este proceso lo realizamos de forma inconsciente e involuntaria, ya que depende de la digestión, absorción y transporte de los nutrientes hasta nuestros tejidos.

También se llama nutrición a la ciencia que estudia los alimentos y todos los procesos mediante los cuales el organismo incorpora, transforma y utiliza los nutrientes de los alimentos y su relación con la salud.

Estudia aspectos relacionados con:

El crecimiento
El desarrollo
El mantenimiento de la salud y el bienestar

4. ¿Qué son los nutrientes?

Los nutrientes son las sustancias que están contenidas en los alimentos y que nos proporcionan la energía y el material que necesitamos para crecer, para desarrollarnos y para mantenernos vivos.

Son imprescindibles para que nuestro organismo funcione correctamente, ya que nuestras células necesitan nutrientes para mantenerse vivas.

Nuestro cuerpo necesita los nutrientes para:

Cubrir las necesidades energéticas.
Formar y mantener las estructuras corporales.
Regular los procesos metabólicos.
Prevenir enfermedades relacionadas con la nutrición.

→ Son tan importantes que sus carencias pueden llegar a producir enfermedades graves, e incluso la muerte.

→ Nuestras células se renuevan constantemente y para que se produzca este proceso de renovación celular[2] son necesarios los nutrientes.

5. Diferentes tipos de nutrientes

Según en qué cantidades se encuentran en la dieta existen dos tipos de nutrientes:

1.- Macronutrientes, son los que se encuentran en la dieta en cantidades grandes.

Nos proporcionan energía y material con el que construir los tejidos.

Los macronutrientes son:

Proteínas
Hidratos de Carbono
Grasas
Agua

2.- Micronutrientes, se encuentran en la dieta en cantidades muy pequeñas.

Son necesarios para que nuestro cuerpo funcione correctamente.

Los micronutrientes son:

Vitaminas
Minerales
Oligoelementos

---

[2] Proceso de renovación celular: las células de nuestro cuerpo se renuevan cada 3 meses más o menos.

Una dieta equilibrada debe contener:

Un 15 % proteínas
Un 30 % grasas
Un 55 % hidratos de carbono

Y además:

Vitaminas
Minerales y
Oligoelementos

Todos ellos en cantidades suficientes.

6. ¿Para qué sirven las proteínas y qué alimentos las contienen?

Las proteínas tienen una gran importancia, ya que *son necesarias para el crecimiento, desarrollo y mantenimiento de las células y, por lo tanto, de la vida.*

a) Tienen una *función plástica, reparadora o de construcción.*

Forman parte de las estructuras corporales.

Suministran el material necesario para el crecimiento, reparación y renovación de los tejidos de nuestras células.

Cuanto más rápido es el crecimiento de una persona (en los primeros años de la vida), tanto mayor es la necesidad de proteínas por kilogramo de peso corporal.

Podríamos decir que son "los ladrillos de nuestro cuerpo", porque sin proteínas ni se crean ni se pueden renovar los tejidos.

→ Desde los músculos hasta las uñas o los huesos, *todas las células del organismo las necesitan.*

b) También ejercen una *función reguladora*:

Son imprescindibles para crear enzimas que nos ayudan a digerir los alimentos.

Producen hormonas que regulan nuestro organismo.

c) Otra *función* de las proteínas es la *defensiva*:

Forman parte del sistema inmunológico, que es el que nos defiende de cualquier agresión externa producida por virus o bacterias (anticuerpos, inmunoglobulinas).

d) Sirven de *vehículo de transporte* a otras sustancias:

Transportan grasas (son el vehículo de transporte del colesterol).

Facilitan la entrada a las células de sustancias como la glucosa y los aminoácidos.

e) Y además nos *aportan energía*.

Cuando el aporte de nutrientes energéticos resulta insuficiente, las proteínas se emplean como energía.

Los alimentos que contienen proteínas son:

Carne
Pescado
Huevos
Legumbres
Quesos curados

RECUERDA: *las proteínas deben formar parte de tu dieta todos los días y en cantidad suficiente.*

→ Es importante que nunca sacies el hambre sólo a base de proteínas, ya que estas se emplearán como fuente de energía y no para la construcción de tejidos y otras funciones que son fundamentales para el buen funcionamiento de tu cuerpo.

7. ¿Qué son los aminoácidos?

Los aminoácidos son las sustancias de las que están formadas las proteínas: las proteínas son cadenas de aminoácidos.

La mayoría de las proteínas están formadas por 20 aminoácidos, pero este dato puede variar mucho.

Nuestro organismo es capaz de producir por sí mismo la mayoría de los aminoácidos, pero *existen 8* de ellos que solo podemos conseguir a través de los alimentos y a estos los llamamos *aminoácidos esenciales*, porque son absolutamente necesarios para el crecimiento y la renovación celular.

AMINOÁCIDOS ESENCIALES:

Isoleucina
Leucina
Lisina
Metionina
Fenilalanina
Treonina
Triptótano
Valina

El resto de los aminoácidos son "no esenciales".

8. Proteínas de alta y de baja calidad

La calidad o valor biológico de una proteína es el grado de similitud que tiene con las proteínas de nuestro cuerpo. Cuanto más se parece a las nuestras, mayor calidad tiene. De hecho, la leche materna se utiliza como patrón para comparar el valor biológico de las demás proteínas de la dieta.

Las proteínas que contienen todos los aminoácidos que son *esenciales* para los seres humanos *son* las denominadas *proteínas de alta calidad o de alto valor biológico*. Se encuentran en los alimentos de origen animal, como carnes, huevos, lácteos y pescado.

Por el contrario, *las que carecen de alguno de esos aminoácidos son incompletas*, y se llaman *proteínas de baja calidad o de bajo valor biológico*. La mayor parte de las proteínas de origen vegetal son incompletas, a excepción de la de la soja.

A continuación encontrarás una lista en la que aparecen algunos alimentos con la cantidad de proteínas que contienen y su valor biológico.

ALIMENTO	CALIDAD o VALOR BIOLÓGICO	Cantidad de proteínas/100 g de alimento
Huevos de gallina	95-100*	13
Leche de vaca	75	3.5
Pescado	75	18
Carne	75	20
Patatas	75	2
Soja	60	35
Arroz	60	7.6
Pan blanco	50	7
Guisantes	50	6

→ Como habrás observado, *la proteína del huevo es la de mayor valor biológico*.

9. Suplementación de proteínas

Para suplir el déficit de un aminoácido *se pueden combinar en una misma comida dos alimentos que compensen sus deficiencias en distintos aminoácidos esenciales*, por ejemplo, una proteína deficiente en lisina y con exceso de metionina se combina con otra que sea deficiente en metionina y que tenga un exceso de lisina, con lo que obtenemos una proteína de alto valor biológico.

A esta combinación de alimentos que son complementarios la llamamos suplementación de proteínas.

Un ejemplo de suplementación de proteínas son las combinaciones de alimentos que los pueblos mediterráneos han venido haciendo desde siglos pasados. Probablemente observaron qué tipo de combinaciones tenían el mejor valor nutricional y eso dio origen a las recetas populares del área mediterránea, como el cocido, las alubias y las lentejas con arroz (que compensan las deficiencias en lisina y metionina de los cereales y de las legumbres respectivamente), o las combinaciones de productos lácteos con cereales, como el arroz con leche, las pastas con queso o las pizzas.

10. ¿Para qué sirven los hidratos de carbono y qué alimentos los contienen?

La función principal de los hidratos de carbono es la de proporcionarnos energía.

De la misma manera que al coche es necesario suministrarle gasolina para que funcione, nosotros necesitamos consumir alimentos energéticos para mantener nuestras funciones corporales y para reponer el desgaste que conlleva la actividad física.

Consumiendo hidratos de carbono almacenamos energía para poder realizar esfuerzos físicos sin fatigarnos.

A los hidratos de carbono también se les llama: carbohidratos y glúcidos.

Los alimentos que contienen hidratos de carbono son:
Pan
Patatas
Cereales (todos los alimentos elaborados con harinas)
Pastas
Arroz
Legumbres
Azúcar
Miel
Mermeladas

Frutas
Bebidas azucaradas

11. Hidratos de carbono simples y complejos

Dependiendo de la velocidad con la que nuestro cuerpo es capaz de absorber los glúcidos, estos se clasifican en:

a) Hidratos de carbono (o glúcidos) simples o de absorción rápida.

Su energía se absorbe rápidamente y también se quema rápidamente.

Son los azúcares, que se caracterizan por su sabor dulce.

Los alimentos que los contienen son: el azúcar, la glucosa, la miel, la fruta fresca, los zumos, la fruta seca (pasas, ciruelas, higos secos, orejones…), la leche, el almíbar, los caramelos, los dulces, el chocolate, la bollería, las galletas, la mermelada, las bebidas refrescantes azucaradas.

b) Hidratos de carbono (o glúcidos) complejos o de absorción lenta.

Su energía se absorbe lentamente y se quema también de forma lenta.

Son los almidones o féculas.

Los alimentos que los contienen son: el pan, las patatas, las pastas, el arroz, los cereales y las legumbres.

12. ¿Qué es la glucosa?

Si eres deportista habrás oído que es importante tomar glucosa durante las competiciones, si no lo eres, de todas formas habrás oído esa palabra muchas veces y sin embargo es muy posible que no sepas lo que es.

→ *La glucosa es la fuente primaria de energía de la que se alimentan las células.*

Para que nuestras células puedan aprovechar los hidratos de carbono, primero los digerimos hasta que quedan sus unidades más elementales, que son las moléculas de glucosa[3].

Prácticamente *todos los glúcidos que tomamos se transforman en glucosa* y se absorben a través del intestino.

→ *Los alimentos muy azucarados son los que más glucosa contienen.*

13. Una despensa de energía llamada glucógeno

Cuando no utilizamos directamente todos los glúcidos que tomamos, nuestro organismo almacena una pequeña parte en forma de glucógeno en el hígado y en los músculos.

El glucógeno es la forma en la que nuestro cuerpo almacena parte de la glucosa para usarla en los momentos en los que no hay glucosa disponible, entre comidas, durante el sueño, o mientras hacemos ejercicio.

Sin embargo, esa "despensa" de glucógeno de la que disponemos es muy pequeña, por lo que es fácil que se agote pronto cuando hacemos ejercicio o cuando pasamos muchas horas sin comer.

El resto de la glucosa que nos sobra y que no cabe en nuestra despensa de glucógeno, la almacenamos en forma de grasa (los famosos michelines).

14. ¿Para qué sirven las grasas y qué alimentos las contienen?

Las grasas que ingerimos *nos proporcionan energía*, igual que los hidratos de carbono.

Nos sirven también como protección contra el frío.

Recubren y protegen los órganos internos.

---

[3] La falta de glucosa se llama "hipoglucemia" y puede producir síntomas muy graves. Ver capítulo 12.10, página 151.

Son el vehículo de transporte de las vitaminas hidrosolubles (A, D, E y K), por lo que son imprescindibles para su absorción.

Algunos ácidos grasos *forman parte de las membranas celulares*, del cerebro y de las prostaglandinas (estas últimas inducen y moderan la acción de las hormonas).

Los alimentos que contienen grasas son:

Aceites
Mantecas
Mantequillas
Nata y derivados
Frutos secos
Quesos curados

Las grasas que consumimos habitualmente son de diferentes tipos pero, más que de grasas, lo correcto es hablar de:

Ácidos grasos saturados
Ácidos grasos monoinsaturados
Ácidos grasos poliinsaturados
Los encontramos en casi todos los alimentos, aunque en distinta proporción.

→ El que sean más o menos saturados es lo que los convierte en más o menos sanos para nuestra salud, cuanto más saturados más perjudiciales son.

15. ¿Por qué se dice que las grasas saturadas son perjudiciales?

De todos los tipos de grasas, *las saturadas son las más perjudiciales para nuestra salud, porque a nuestro organismo le resulta muy difícil aprovecharlas.*

El consumo de grasas saturadas se asocia con un aumento del colesterol[4], del que tanto se habla.

[4] ¿Qué es el colesterol? Capítulo 1.18, página 27.

Estas grasas *se encuentran sobre todo en los alimentos grasos de origen animal*, como: mantequilla, tocino, manteca, nata o crema de leche, grasa de las carnes y de la piel de las aves, embutidos, fiambres, patés, quesos y productos lácteos no desnatados. Este tipo de alimentos deben consumirse en poca cantidad y solo de forma esporádica.

Sin embargo, los aceites de coco y de palma –a pesar de ser vegetales– contienen tantas grasas saturadas como la manteca de cerdo.

Por desgracia estos dos aceites se utilizan con frecuencia en la elaboración de repostería industrial, de alimentos precocinados o preparados y de aperitivos tanto dulces como salados –como las patatas fritas–, por lo que es importante que leamos en la etiqueta los ingredientes con los que han sido elaborados. Si en ella se lee "grasas vegetales" y no se especifica su procedencia, debemos rechazarlo y elegir otro producto en el que leamos que ha sido elaborado con aceite de oliva, maíz o girasol.

16. Las grasas monoinsaturadas nos benefician

Las grasas monoinsaturadas, por el contrario, son beneficiosas para nuestra salud.

El ácido graso monoinsaturado más importante es el ácido oleico, que ayuda a aumentar los niveles de colesterol "bueno" (HDL) en la sangre y a reducir el "malo" (LDL). Lo contienen –sobre todo– el aceite de oliva, las aceitunas y el aguacate.

17. Las grasas poliinsaturadas son fuente de salud

Las grasas poliinsaturadas son muy sanas, porque *este tipo de ácidos grasos ayudan a reducir los niveles de colesterol y de triglicéridos*.

Los contienen, sobre todo, los aceites de maíz, girasol y soja, los frutos secos y los pescados azules.

18. ¿Qué es el colesterol?

Antes decíamos que las grasas saturadas se asocian con la elevación de los niveles de colesterol en sangre.

El colesterol es una sustancia grasa que se encuentra en la sangre y en todas las células del organismo, por lo que es normal tenerlo.

Se utiliza para producir las membranas de las células, algunas hormonas y otras funciones importantes, es decir, que es necesario.

El colesterol no se disuelve en la sangre, porque es una grasa, así que necesita un vehículo que lo transporte hasta las células o desde ellas. Ese vehículo está formado por proteínas que se unen a los ácidos grasos y que reciben el nombre de lipoproteínas.

Según el porcentaje de proteínas y de grasa que contiene el vehículo que lo transporta, ese colesterol es:

Colesterol bueno (HDL), que es el transportado por las lipoproteínas de alta densidad.

Colesterol malo (LDL), que es el que transportan las lipoproteínas de baja densidad.

19. ¿Por qué el colesterol LDL es malo, si es normal tenerlo?

Tener colesterol "malo" o LDL es normal, ya que es el más abundante en nuestro organismo. Solemos tener casi el doble de cantidad que del colesterol HDL, y no solo es normal, sino que es necesario, puesto que es el que llega a los tejidos periféricos. Entonces ¿cuál es el problema?

El problema aparece cuando lo tenemos en exceso, porque se va depositando en las paredes internas de las arterias, igual que pasa con la cal de las tuberías.

Cuando se forman *esas capas* –que *se llaman "placas de ateroma"*–, el interior de las arterias se va estrechando, lo que puede dificultar o incluso taponar el paso de la sangre.

A veces se desprenden trocitos de placas de ateroma que viajan por el torrente sanguíneo y que pueden producir problemas tan serios como un infarto de miocardio o una embolia.

20. ¿Por qué algunas veces aumenta demasiado el colesterol LDL?

A pesar de que el hígado se encarga de regular los niveles de colesterol, en ocasiones el colesterol "malo" aumenta tanto que el hígado no es capaz de reducirlo.

Los *motivos* que hacen que algunas veces aumente en exceso pueden ser:
Un consumo excesivo de grasas, sobre todo saturadas
Los alimentos fritos
Los dulces, la bollería, helados y galletas
Las grasas hidrogenadas que contienen las margarinas, helados…
Los embutidos y fiambres
Las bebidas alcohólicas
El chocolate, el café y las bebidas de cola
El estrés

→ Es importante que evitemos consumir este tipo de alimentos de forma habitual.

21. ¿Por qué bebemos agua?

El agua es el componente principal de nuestro cuerpo, que debe mantenerse siempre en una proporción adecuada para mantener la salud. *Continuamente eliminamos agua y necesitamos beber para reponer la cantidad eliminada.*

Dos terceras partes del peso de una persona adulta corresponden al agua que compone su organismo.

Para que te hagas una idea, en un hombre que pese 70 kilos, el agua representaría 43 kilos de su peso total.

Este porcentaje varía en función del sexo y de la edad, así como de la composición corporal de cada persona.

Las mujeres, al tener más grasa y menos músculo, suelen tener un menor porcentaje de agua.

En los recién nacidos la proporción es del 80% y va disminuyendo con la edad hasta llegar al 50% en los ancianos.

22. ¿Por qué es tan importante el agua?

El agua es importante porque:

Es el medio en el que se hallan disueltos todos los líquidos corporales: la sangre, la linfa, las secreciones digestivas, las heces y la orina.

Transporta los nutrientes al interior de las células y hace posible la eliminación de los productos de desecho.

Interviene en la digestión de los nutrientes contenidos en los alimentos.

Ayuda a dar forma y volumen a las células.

Mantiene la temperatura corporal mediante el sudor.

Evita fricciones en las articulaciones.

→ La importancia del agua es tan grande que una persona puede sobrevivir más de un mes sin comer, pero solo unos días sin beber agua. Se muere 10 veces antes de sed que de hambre.

23. ¿Cuánta agua necesito?

Para sentirte bien necesitas tomar entre 2 y 3 litros de agua al día.

Esta cantidad varía en función del agua que eliminas a través del sudor, la orina, las heces y la respiración, o de si tienes fiebre.

En circunstancias normales –sin fiebre, en un clima templado y sin sudar– perdemos:

Por la piel, alrededor de ½ litro de agua al día
Por la respiración, unos 400 cc
Por las heces, 100 cc
Por la orina, aproximadamente 1,5 litros

→ *En total son 2,5 litros de agua al día.*

24. ¿Tengo que beber 2 litros y ½ de agua al día?

La cantidad de agua que necesitas la obtienes de dos formas:

A. De forma directa, gracias al agua, caldos o infusiones que bebemos.

B. De forma indirecta, a través de los alimentos que ingieres, ya que algunos alimentos tienen gran cantidad de agua en su composición.

Por eso no es necesario que bebas tanta cantidad.

¿Sabías que…?

La leche, las frutas y las verduras tienen un 90 % de agua.

Los zumos son agua en su mayor parte.

La mitad del queso es agua.

Tres cuartas partes del huevo son agua.

→ Aun así *es conveniente asegurarnos el aporte que necesitamos bebiendo de 6 a 8 vasos al día entre agua, zumos, leche, caldos e infusiones.*

25. A veces es importante incrementar el consumo de agua

Hay circunstancias en las que es necesario beber más cantidad de líquidos –agua, zumos, infusiones o caldos–, como:

Cuando realizamos un ejercicio físico intenso.
Durante la lactación.
Cuando la temperatura ambiental es elevada.
Cuando tenemos fiebre.
En caso de vómitos y diarreas.
En la diabetes descompensada.

26. Las vitaminas[5]

Las vitaminas son sustancias que, a pesar de que no nos aportan calorías, ni se utilizan en la renovación de los tejidos, *son imprescindibles para la vida.*

Son indispensables para la salud y el crecimiento, las deficiencias en vitaminas producen enfermedades.

Regulan los procesos metabólicos de nuestro organismo.

Son "esenciales", lo que significa que nuestro cuerpo no las puede producir, por lo que debemos ingerirlas a través de la alimentación en cantidades suficientes para mantener la salud.

Las vitaminas se clasifican en dos grupos, dependiendo de si se disuelven en agua o en grasa, y se llaman *hidrosolubles o liposolubles.*

---

[5] En Anexo.2, página 157, encontrarás más información sobre las vitaminas, sus funciones, síntomas de carencia, factores que las destruyen y en qué alimentos se encuentra cada una de ellas.

TIPOS DE VITAMINAS

HIDROSOLUBLES	LIPOSOLUBLES
Son la A, D, E y K	Son la C y las del grupo B
Se disuelven en grasa y se almacenan en el organismo	Se disuelven en agua y no se almacenan en el organismo

27. Las provitaminas

Nuestro cuerpo es capaz de sintetizar algunas vitaminas a partir de provitaminas o de sus precursores.

Las provitaminas son sustancias que pueden convertirse en vitaminas en nuestro organismo.

La más importante es el betacaroteno, que se convierte en vitamina A. Lo contienen sobre todo las zanahorias y las frutas y verduras de color naranja o rojo.

La provitamina D, presente en la piel, se convierte en vitamina D en presencia de la luz solar.

Otra provitamina es la B5, que en la piel y el cabello se convierte en ácido pantoténico.

28. Minerales y oligoelementos

Las sales minerales son indispensables para el crecimiento, el desarrollo y el mantenimiento de la salud.

El calcio y el fósforo ayudan a formar y conservar nuestros huesos y nuestros dientes.

El hierro forma parte de la hemoglobina, que es un componente de los glóbulos rojos.

Zinc, manganeso y cromo favorecen el funcionamiento de las enzimas.

El selenio es un potente antioxidante.

El yodo es un componente de la hormona tiroidea y es esencial para su correcto funcionamiento.

Sodio, potasio y cloruro intervienen en la transmisión de los impulsos nerviosos y son fundamentales para la regulación hídrica del organismo.

29. La fibra

Un último nutriente es la fibra.

Las fibras son sustancias de origen vegetal –las contienen sobre todo las frutas, las verduras y los cereales integrales– *que nuestro cuerpo no es capaz de digerir ni de absorber.*

Probablemente pensarás que si no se absorben deben ser poco útiles para la salud, pero en realidad *tienen propiedades muy beneficiosas y son necesarias* porque:

Ayudan a regular el tránsito intestinal en cuanto al ritmo, tamaño y densidad de las deposiciones.

Hacen de escoba y limpian el intestino.

Ayudan al crecimiento de las bacterias beneficiosas que ayudan a mantener la salud del intestino.

Arrastran y equilibran los niveles de colesterol.

Equilibran las subidas de glucosa en sangre.

Previenen el cáncer de colon.

Capítulo 2
METABOLISMO Y ENERGÍA

1. ¿Qué es el metabolismo?

Palabra mágica esta de "metabolismo", que parece que te engorda o te adelgaza sin que tú sepas por qué. Todo el mundo la usa y casi nadie sabe lo que significa.

El término metabolismo designa a todos los procesos y reacciones químicas que tienen lugar dentro de nuestras células con el fin de obtener e intercambiar energía con el medio ambiente.

Existen dos procesos metabólicos:

Anabolismo o *metabolismo constructivo* es en el que se producen las reacciones de síntesis (*formación*) necesarias para el crecimiento *de nuevas células* y la conservación de los tejidos.

En esta fase unas sustancias se unen a otras.

Catabolismo o *fase degradativa* es el proceso en el que se *produce* la *energía* necesaria para poder realizar actividades físicas, ya sean las de nuestros órganos internos o las que llevamos a cabo de forma voluntaria.

Es también el *encargado de regular la temperatura corporal.*

Transforma los nutrientes de los alimentos que ingerimos en sustancias asimilables por nuestro organismo y elimina las sustancias de desecho a través de los riñones, el intestino, los pulmones y la piel.

Durante el catabolismo se desdoblan las sustancias y la energía que se libera es almacenada hasta que la necesitamos para los procesos anabólicos.

2. El metabolismo basal

El metabolismo basal es la cantidad mínima de energía que consume nuestro cuerpo al realizar sus funciones vitales, es decir, en:

La respiración

El funcionamiento de los órganos internos (corazón, hígado, riñones, estómago, cerebro…)

El mantenimiento de la temperatura corporal

La presión osmótica

Si queremos asegurar la continuidad de la vida no podemos dejar de aportar a nuestro cuerpo esta cantidad de energía.

La tasa de metabolismo basal es diferente según la persona y depende de diferentes factores, como:

El tamaño del cuerpo, que se calcula según el peso y la talla.

La edad. El metabolismo es mayor en los niños que en los ancianos.

El sexo. Es mayor en los hombres que en las mujeres.

La composición corporal. A más musculatura mayor tasa de metabolismo.

→ *El metabolismo basal disminuye con la edad* –un 5 % cada 5 años a partir de los 35– *y con la pérdida de masa corporal.*

Los factores que elevan esta tasa son:

La regulación de la temperatura corporal cuando hace frío
Los factores psíquicos como la ansiedad o el estrés

Las enfermedades

La actividad física

3. ¿Puedo cambiar mi metabolismo a voluntad?

Es posible aumentar el metabolismo basal realizando ejercicio aeróbico y aumentando la masa muscular. Esto es útil cuando se desea adelgazar.

El reposo reduce la tasa de metabolismo total, por eso se recomienda durante el tratamiento de las anemias y de otras enfermedades.

4. ¿Qué es la energía de los alimentos?

Es la capacidad que tiene el organismo para aprovechar la energía que contienen los alimentos.

Sus valores se expresan en kilocalorías o en kilojulios.

1 kilocaloría = 4,6 kilojulios

Los seres vivos necesitamos energía para realizar nuestras funciones de la misma manera que un coche necesita gasolina para funcionar. El vehículo quema gasolina para obtener energía y nuestro organismo oxida los alimentos por la misma razón.

5. ¿Qué son las calorías?

Cuando hablamos de calorías nos referimos a la forma en que medimos la energía que se encuentra almacenada en los alimentos, es decir, a *la energía que obtenemos cuando "quemamos" lo que comemos*, aunque en realidad está mal expresado, porque *la medida correcta es la "kilocaloría"*.

Técnicamente, 1 kilocaloría es la cantidad de energía necesaria para aumentar la temperatura de 1 litro de agua 1 grado centígrado, partiendo de 14,5 grados y para que llegue a los 15,5 grados.

6. ¿Cuántas calorías contienen los alimentos?

Ni todos los alimentos nos aportan el mismo contenido calórico, ni todo lo que ingerimos nos aporta calorías.

Algunas sustancias, como las vitaminas, los minerales, la fibra y el agua, no las contienen y, sin embargo, son imprescindibles para regular diversas funciones químicas o para la reconstrucción de las estructuras celulares.

Aunque resulta difícil recordar cuántas calorías contiene cada alimento[6] es útil que sepas que:

Los hidratos de carbono –que contienen las pastas, patatas, pan, arroz y cereales– *nos aportan*:

4 kcal /g

Las proteínas –contenidas en carnes, pescados, huevos y legumbres– *contienen* la misma cantidad:

4 kcal /g

Las grasas, sin embargo –de los aceites, la manteca, margarinas y mantequillas–, *aportan*:

9 kcal /g

El alcohol que contienen la cerveza, el vino y el resto de las bebidas alcohólicas, *aporta*:

7 kcal /g

→ Por lo tanto, *los productos con alto contenido graso y el alcohol* son los alimentos que más energía nos proporcionan y en consecuencia *son los que más engordan.*

---

[6] En Anexo, página 165, encontrarás una tabla de calorías por 100 g de alimento.

7. ¿Qué son exactamente las necesidades energéticas?

Es la cantidad de energía –kilocalorías– que necesitamos consumir para sobrevivir y para realizar nuestras actividades diarias.

Es la suma de nuestro metabolismo basal y de las calorías que consumimos con las actividades cotidianas y el ejercicio físico.

8. ¿Cuáles son mis necesidades energéticas?

Las necesidades energéticas varían de una persona a otra.

Para medirlas es necesario tener en cuenta factores como:

Edad

Sexo

Estatura

Peso corporal

Actividad profesional

Deporte

A continuación tienes una tabla que indica las kilocalorías que quemaría un hombre de 70 kilos de peso en función de las distintas actividades que realice.

ACTIVIDAD	Kcal/h
Reposo o sueño	80
Estar sentado	100
Conducir	120
Trabajo doméstico	180
Pasear (4 km/h)	210
Tenis de mesa	360
Fútbol	600
Correr (16 km/h)	900

Capítulo 3
LA DIGESTIÓN

1. Procesando lo que comemos

Como hemos visto, nuestro organismo transforma todo lo que comemos en sustancias más pequeñas que más tarde absorbemos a través del intestino.

A grandes rasgos todos sabemos lo que es la digestión, pero existen algunos datos muy interesantes de los que hablamos a continuación.

2. Un proceso que empieza en el cerebro

En realidad el proceso de la digestión empieza en el cerebro, que es el que da la orden para que el aparato digestivo se ponga en marcha.

Ni siquiera es necesario que introduzcamos el alimento en nuestra boca para que se encienda la maquinaria. Un olor, una comida que nos atrae a la vista, o un simple pensamiento son suficientes para que nuestro cerebro active el proceso de la digestión.

3. La digestión de los glúcidos comienza en la boca

Cuando introducimos los alimentos en la boca, los dientes los rompen por fuera y la saliva los rompe por dentro, con lo que comienza el proceso de degradación de todo lo que comemos.

La digestión de los hidratos de carbono o glúcidos, como el pan, las patatas, la pasta, el arroz, el azúcar o la bollería se produce en parte en la boca con la ayuda de una enzima que contiene la saliva y que se llama "ptialina".

Este tipo de alimentos se acabarán de digerir en el duodeno (primera parte del intestino delgado) por acción de los jugos intestinales y de los que segregan el páncreas y la vesícula biliar, que confluyen en esta porción del intestino.

4. Las proteínas se digieren en el estómago

Una vez masticados, los alimentos pasan a una bolsa –el estómago– en la que entran en contacto con ácido clorhídrico, un líquido muy abrasivo cuya misión consiste en descomponer las proteínas.

En el estómago se detiene momentáneamente la digestión de los hidratos de carbono para digerir las proteínas de la carne, pescado, huevos, legumbres, frutos secos, etc.

Si nuestra dieta es demasiado rica en proteínas, nuestro estómago segrega ácido clorhídrico en exceso, lo que puede producir molestias por acidez y llegar a dañar las paredes del propio estómago produciendo úlceras muy dolorosas.

5. Bilis para digerir las grasas

Después de que en el estómago se han batido y mezclado los alimentos, pasan a un tubo que mide de tres a siete metros de largo, el intestino delgado.

En el duodeno –primera porción del intestino delgado– se digieren las grasas, gracias a la bilis que segrega la vesícula biliar. Si tomamos muchas grasas la vesícula se contrae y libera más bilis para poder digerirlas.

6. La absorción de los nutrientes

Una vez desdoblados todos *los nutrientes se absorben a través de las vellosidades del intestino delgado*, que son unos tubos diminutos y muy finos, con aspecto de pelos, que cubren el interior del intestino delgado, y que contienen vasos sanguíneos por donde se absorben los nutrientes que ya han sido digeridos.

7. Qué hacemos con lo que no vale

No todo lo que ingerimos nos resulta útil como nutriente, así es que una vez que hemos extraído y asimilado todo lo que sí nos vale, queda una parte de los alimentos que tenemos que eliminar, algo así como cuando comemos cacahuetes y tiramos la cáscara.

La última parte de la digestión consiste en la desecación de las sustancias de desecho o materia fecal en el colon –intestino grueso– y en su eliminación.

El intestino grueso tiene aproximadamente dos metros de largo y funciona produciendo unos movimientos que se llaman "peristálticos" y que son los que hacen avanzar al bolo alimenticio. Estos movimientos se estimulan cuando tomamos fibra vegetal, que aporta volumen y presiona los intestinos para que se muevan y faciliten la eliminación de las heces.

Dependiendo de diferentes factores, las heces pueden estar de seis a veinte horas esperando para ser eliminadas.

8. Dos días de digestión

Durante el proceso de la digestión todas las fases se producen de forma simultánea –ya que comemos varias veces al día en mayor o menor cantidad– y aunque siempre se ha dicho que tardamos 2 horas en hacer la digestión, en realidad la digestión es un proceso mecánico y químico muy largo y muy complejo que tarda en completarse entre 24 y 48 horas.

9. Cuando digerir es una tarea imposible

Observa cómo cuidan su coche la mayoría de las personas. A nadie se le ocurre llenar con gasoil el depósito de un coche de gasolina, ni a la inversa y si a alguien se le ocurriera hacer algo así, probablemente le dirían que "está loco". Sin embargo, no es fácil que en nuestra sociedad se entienda que no todo el mundo puede comer de todo. Habrás observado que cuando en una reunión alguien dice que "no puede comer un tipo de alimento" lo más habitual es escuchar que otro le contesta "qué tontería, por un poco que comas no te va a pasar nada, anda, cómetelo".

Sin embargo, ese poquito que le están ofreciendo con insistencia le puede causar desde un mal rato hasta un problema serio de salud.

Para que nuestro aparato digestivo sea capaz de digerir todo lo que comemos, es preciso que intervengan en la digestión una gran diversidad de sustancias, que son segregadas por la saliva, el estómago, la vesícula biliar, el páncreas, el intestino en sus diferentes tramos… Por ejemplo, cada tipo de azúcar –el de la leche, el de la fruta, el de la malta, etc.– precisa de un enzima diferente para ser digerido, así es que cuando uno de esos enzimas no se segrega en cantidad suficiente, la digestión del alimento al que corresponde se realiza con mucha dificultad o no se puede realizar, lo que puede ocasionar molestias digestivas –dolor abdominal, gases, hinchazón, diarreas– e incluso una desnutrición importante por mala absorción intestinal.

Otro problema serio es el de las personas diabéticas, cuyo páncreas no fabrica la insulina suficiente para que la glucosa de los alimentos hidrocarbonados pueda entrar en las células. La insulina es como una llave que abre la puerta de la célula para que la glucosa pueda entrar en ella. Cuando la célula permanece cerrada por falta de insulina, la glucosa se queda en el torrente sanguíneo y produce una serie de síntomas que pueden llegar a ser muy graves. Esta enfermedad se llama *diabetes*.

→ IMPORTANTE: *Cuando alguien dice que no le sienta bien un alimento, no se debe insistir en que lo coma.*

10. Intolerancias alimentarias

La incapacidad de digerir un alimento se llama intolerancia a ese alimento.

¿Sabías que el 70 % de la población mundial no tolera la lactosa de la leche?[7] Un 98 % de los tailandeses, la mayoría de los asiáticos, el 60 % de las personas de raza negra, el 83 % de los mexicanos, un 14 % de los españoles y muchas otras personas de cualquier raza y nacionalidad no pueden tomar leche ni sus derivados, porque les producen fuertes dolores abdominales, gases y diarreas. Todas estas personas tienen una *intolerancia a la lactosa* y deben evitar consumir leche, derivados de ella y los alimentos que la contengan.

Otras personas tienen *intolerancia al gluten*, que es un aminoácido que forma parte de las proteínas del trigo, la avena, la cebada y el centeno. A estas personas se les llama "celíacas" y el tipo de intolerancia que padecen se llama "celiaquía". Quienes tienen este problema no pueden ni probar alimentos que contengan aunque solo sean unas trazas de gluten. Es muy importante que sean estrictos en su alimentación, porque para ellos el gluten actúa como un veneno que arrasa las vellosidades intestinales, que es por donde se absorben los alimentos una vez digeridos. Como consecuencia, esta intolerancia ocasiona diarreas que acaban produciendo una mala absorción intestinal. Si no se soluciona puede ocasionar la muerte por desnutrición.

Además de estas, existen otras enfermedades relacionadas con intolerancias y también hay muchas alergias a alimentos.

Las *alergias alimentarias* se manifiestan con picor en la boca al comer un determinado alimento, urticarias en la piel, problemas respiratorios, etc. Cuando esto ocurre hay que consultar al médico.

→ *NUNCA se debe alentar a alguien que tiene una alergia alimentaria a consumir ese alimento, porque un gesto tan simple puede ocasionarle un* shock *anafiláctico que ponga en riesgo su vida.*

Es importante respetar a todos, no insistir y ofrecerles en cambio otros alimentos que puedan comer sin problemas.

11. Consejos para una buena digestión

Mastica y ensaliva bien los alimentos, porque es el primer paso para que el resto del proceso se realice de forma adecuada.

[7] Fuente: Departamento de Salud de los EE. UU.

Evita las comidas copiosas y con abundantes grasas, difíciles de digerir.

Evita hacer esfuerzos o ejercicio físico después de las comidas.

Evita llevar cinturones y fajas que opriman la zona abdominal y mantén la espalda recta.

Procura comer en un ambiente agradable, sin discusiones ni noticias desagradables, que pueden influir en una mala digestión.

Capítulo 4
LA DIETA EQUILIBRADA

1. ¿Qué es una dieta equilibrada?

Una dieta equilibrada es la que cubre perfectamente las necesidades nutricionales de la persona y que por lo tanto:

Aporta nutrientes energéticos –hidratos de carbono y grasas– en cantidad suficiente para cubrir las necesidades del metabolismo basal y la actividad física de la persona.

Suministra suficientes nutrientes con funciones plásticas y reparadoras –proteínas, minerales y vitaminas–.

Estos nutrientes no deben faltar ni sobrar.

En una dieta equilibrada las cantidades de los diferentes nutrientes están equilibradas entre sí.

El grupo de expertos de la FAO –organismo perteneciente a la Organización Mundial de la Salud– estableció las siguientes proporciones o ingestas recomendadas en una dieta sana:

1.- *Las proteínas deben suponer un 15 %* del aporte calórico total.

La cantidad total de proteínas ingeridas nunca debe ser inferior a 0,75 g por kilo de peso/día.

Las proteínas deben ser de alto valor biológico.[8]

2.- *Los glúcidos, o hidratos de carbono, aportarán* al menos *un 55-60 %* del aporte calórico total.

3.- *Los lípidos, o grasas, no sobrepasarán el 30 %* de las calorías totales ingeridas.

Estas recomendaciones –que en principio parecen fáciles– llevan de cabeza a la mayor parte de la humanidad, ya que es difícil que seamos conscientes de qué nutrientes están incluidos en los alimentos que comemos cada día. Para saberlo deberíamos pesar y anotar todo lo que comemos, a continuación tendríamos que consultar una tabla de composición de alimentos y comparar el resultado obtenido con nuestras necesidades mínimas (primero debemos calcular nuestro metabolismo basal y sumarle las calorías que consumimos diariamente con todas las actividades físicas que realizamos).

Esta tarea es demasiado complicada, por no decir imposible, puesto que deberemos haber pesado correctamente cada alimento por separado y no haber olvidado anotar ninguno, así como haber recordado incluir el tiempo que hemos dedicado a todas las actividades que hemos realizado durante el día, como: ver la televisión, limpiar, dormir, pasear, estar sentados…

Acabaríamos obsesionándonos con las calorías y los nutrientes y eso se convertiría en un problema.

Por lo tanto, nos vamos a centrar en lo más práctico, que son las recomendaciones de ingestas recomendadas por grupos de alimentos (ver capítulo 4).

2. ¿Por qué se dice que es importante que la dieta sea variada?

Consumir alimentos variados es imprescindible para conseguir una dieta equilibrada, por la sencilla razón de que *si siempre comemos el mismo alimento es muy difícil que consigamos alimentarnos correctamente, ya que no existe ningún alimento que contenga todos los nutrientes necesarios*, o si

[8] Ver capítulo 1.6 y 1.8, páginas 18 y 20.

los contiene no se encuentran en él en cantidad suficiente como para cubrir las necesidades básicas de la persona.

3. ¿Sabes si tus hábitos dietéticos son correctos?

Ahora te propongo que realices el siguiente test de hábitos alimenticios, con él comprobarás hasta qué punto tu dieta es equilibrada.

Anota las respuestas que más se acerquen a tus hábitos.

TEST DE HÁBITOS ALIMENTICIOS

1. ¿Cuántas comidas realizas al día?
a) Una fuerte y muchos picoteos
b) 2 comidas sin desayuno
c) Tres: desayuno, comida y cena
d) 4 o 5

2. Tus comidas principales se componen de:
a) Precocinados, fritos, una empanadilla…
b) Sándwichs, bocatas, barritas energéticas en el trabajo
c) Un plato combinado
d) Ensalada, un guiso y una fruta

3. ¿Sueles picar entre horas?
a) Constantemente
b) A veces
c) Casi nunca
d) Nunca

4. ¿Cuántos huevos comes a la semana?
a) 6 o más a la semana
b) Ninguno
c) 1 a la semana
d) 2 o 3 a la semana

5. Cuando comes entre horas ¿qué sueles comer?
a) Bollería

b) Chocolate, golosinas
c) Un bocadillo o frutos secos
d) Fruta, yogur o infusiones

6. ¿Qué sueles beber durante el día?
a) Café y refrescos
b) Refrescos
c) Agua y cafés
d) Agua, zumos y lácteos

7. ¿Qué cantidad de agua ingieres al día?
a) No bebo agua
b) Menos de 1 litro
c) Entre 1,5 litros y 2 litros
d) Más de 2 litros

8. ¿Cuántas veces a la semana comes pescado?
a) Ninguna
b) Entre 1 y 2
c) Entre 3 y 4
d) Más de 4 veces a la semana

9. ¿Cuántas veces al día comes productos lácteos?
a) Ninguna
b) 1 vez al día
c) 2 veces al día
d) 3 veces al día

10. ¿Cuántas veces a la semana comes carne?
a) Ninguna
b) 1 vez a la semana
c) 2 veces a la semana
d) 3 veces a la semana

11. ¿Cuántas veces a la semana comes legumbres?
a) Ninguna
b) Entre 1 y 2
c) Entre 3 y 4
d) Más de 4 veces a la semana

12. ¿Cuántas raciones, entre fruta y verdura, tomas al día?
a) Ninguna
b) 1 o 2
c) 3 o 4
d) Más de 4

13. ¿Cuántas veces a la semana tomas productos preparados o pre-cocinados (envasados)?
a) Diariamente
b) 2-3 veces en la semana
c) 1 o 2 veces en la semana
d) 1 o ninguna

14. ¿Cuántas veces al día comes pan, pasta italiana, arroz, cereales o patatas?
a) Ninguna
b) 1 o 2
c) 3 o 4
d) Más de 4

4. Evalúa tu dieta

• Mayoría de respuestas A:

Debes revisar tus hábitos ya que tu dieta es desordenada y puedes acabar teniendo sobrepeso.

• Mayoría de respuestas B:

Debes mejorar tus hábitos alimenticios y cuidar más el equilibrio entre las comidas.

• Si tus respuestas han sido casi todas C:

Llevas una alimentación correcta que te ayuda a continuar en tu peso y a mantener tu salud.

• Si la mayoría de tus respuestas ha sido D:

¡Felicidades! Tus hábitos alimenticios son saludables.

Capítulo 5
GRUPOS DE ALIMENTOS

1. Los alimentos

Se consideran alimentos las sustancias que los seres vivos ingieren para nutrirse.

La mayoría de los alimentos contienen más de un nutriente, pero ninguno los contiene todos y son muy pocos –el aceite y el azúcar de mesa– los que contienen un solo nutriente.

Como sabes los alimentos pueden ser de origen animal o vegetal y según el tipo de nutrientes que nos aportan en mayor cantidad los llamamos:

• **Energéticos**, que son los que *se usan como combustible* de las células.

Son los que *contienen hidratos de carbono y grasas.*

• **Plásticos**, que *son los que utilizamos para construir* y regenerar nuestro propio cuerpo.

Son los que *contienen proteínas.*

• **Reguladores**, que son los que *facilitan y controlan las reacciones químicas* de nuestro cuerpo.

Son los que *contienen vitaminas y minerales.*

Para elaborar una dieta equilibrada, que aporte los diferentes nutrientes en cantidades adecuadas, es necesario conocer bien los alimentos que contienen dichos nutrientes.

→ La forma más fácil de diseñar una dieta variada y equilibrada es utilizando los grupos de los alimentos que tienen características nutricionales similares.

2. Los grupos de alimentos y sus características

Como decíamos, una vez que conocemos los alimentos que integran cada grupo nos resulta fácil conseguir una alimentación variada y equilibrada. Solo tenemos que introducir en nuestra dieta diaria alimentos de todos los grupos.

Una dieta saludable debe contener todos los grupos de alimentos en sus proporciones adecuadas.

Es conveniente alternar los diferentes alimentos de cada grupo, porque cada alimento nos aporta sustancias diferentes que nos ayudan a cubrir nuestras necesidades nutricionales.

Según sus características nutricionales y las funciones que cumplen en nuestro organismo, los alimentos se clasifican en 6 grupos:

GRUPO 1
LÁCTEOS

Leche, quesos frescos y yogur.

→ Proporcionan calcio, proteínas, hidratos de carbono y grasa (excepto los desnatados).

La leche:

Contiene proteínas de alto valor biológico.

Su grasa contiene ácidos grasos saturados y contiene colesterol (14 mg/100 g).

La leche contiene un hidrato de carbono llamado lactosa, un tipo de azúcar que es el que le da ese sabor ligeramente dulce[9].

Es la fuente más importante de calcio en nuestra dieta[10].

Contiene fósforo.

Contiene vitaminas A, D y B2.

La vitamina D y la lactosa facilitan la absorción del calcio.

En función de su contenido en grasa existen en el mercado 3 tipos de leche:

Entera, que conserva toda la grasa.
Semidesnatada, que conserva el 50 %.
Desnatada, a la que se le ha extraído toda la grasa.

Las leches desnatadas y semidesnatadas son recomendables en el tratamiento de la obesidad y de los niveles altos de colesterol.

---

[9] Algunas personas no toleran la lactosa, ver capítulo 3. 10, página 44.
[10] Las personas intolerantes a la lactosa pueden obtener los mismos beneficios de las bebidas de soja enriquecidas en calcio.

Es conveniente –sin embargo– que la leche desnatada haya sido enriquecida en vitaminas A y D, ya que estas vitaminas se encuentran en la grasa y al extraérsela, las vitaminas se eliminan con ella.

→ La leche es deficitaria en hierro.

→ No contiene vitamina C.

El yogur, la cuajada y el kéfir:

El yogur es un derivado de la leche, que se obtiene al añadirle fermentos.

En el yogur la lactosa se transforma en ácido láctico, por lo que su contenido en lactosa es menor.

Su valor nutritivo es similar al de la leche.

La absorción del calcio del yogur es mayor que la de la leche.

Los yogures de frutas y de sabores contienen gran cantidad de azúcar.

La cuajada se obtiene al mezclar la leche con cuajo, una sustancia que se extrae del estómago de los rumiantes.

El kéfir es similar al yogur, pero en su fermentación se utiliza un tipo de hongo.

El queso:

El queso destaca por su contenido en proteínas de alta calidad y en calcio.

Contiene una proporción elevada de grasas y por lo tanto de calorías.

Cuanto más curado es el queso, más grasa contiene (actualmente existen quesos desnatados).

Cuanto más curados son, menos lactosa contienen, por lo que algunas personas que no toleran la leche no tienen problemas con el consumo de quesos curados.

GRUPO 2
ALIMENTOS PROTEICOS

Carnes, pescados, huevos, legumbres (las legumbres son también alimentos hidrocarbonados) **y frutos secos** (estos últimos contienen una gran cantidad de grasa, por lo que también se les engloba en el grupo de las grasas).

Los **quesos curados** también se consideran alimentos proteicos y a la vez contienen un alto porcentaje de grasa.

→ Proporcionan proteínas, hierro y vitaminas del grupo B.

GRUPO 3
ALIMENTOS HIDROCARBONADOS

Pan, cereales, patatas, arroz, pastas y legumbres.

Los cereales y las legumbres contienen además proteínas y vitaminas del grupo B.

→ Proporcionan energía.

GRUPO 4
VERDURAS Y HORTALIZAS

Aportan vitaminas, minerales, fibra y una pequeña cantidad de hidratos de carbono.

→ Tienen función reguladora y energética.

GRUPO 5
FRUTAS

→ Su función es reguladora y energética, parecida a los alimentos del grupo 4.

Aportan vitaminas, minerales y son ricas en azúcares (fructosa, sacarosa y glucosa) y pocas calorías.

GRUPO 6
GRASAS

Mantequilla, manteca, nata, margarina:

La mantequilla, la manteca, la nata y los aceites de palma y de coco contienen grasas saturadas. Deben usarse con moderación.

Aceites:

El aceite de oliva contiene vitamina E y ácido oleico, que es un ácido graso monoinsaturado. Es el aceite ideal tanto para aliñar como para cocinar, ya que resiste temperaturas muy altas.

Los aceites de maíz y girasol contienen vitamina E y una cantidad de ácido oleico similar a la del aceite de oliva. Sus ácidos grasos son monoinsaturados. Se recomiendan para utilización en frío más que en caliente, ya que resisten peor el calentamiento.

Frutos secos:

Los frutos secos aportan fibra, ácidos grasos monoinsaturados y poliinsaturados y vitaminas del grupo B.

→ Todas las grasas tienen función energética y contienen vitaminas liposolubles.

→ *Recuerda que todas las grasas aportan la misma cantidad de energía.*

Para recordarnos fácilmente qué alimentos debemos consumir de manera habitual en mayor cantidad y qué otros sería conveniente dejar solo para ocasiones esporádicas, se han ideado dos sistemas: la rueda de alimentos y la pirámide nutricional.

3. La rueda de alimentos

Es una forma gráfica de representar los grupos de alimentos.

Señala la importancia que tienen en nuestra dieta los alimentos pertenecientes a los diferentes grupos, asignando distinto tamaño a las porciones de la rueda que corresponden a cada grupo.

Los alimentos que deben consumirse solo en ocasiones esporádicas están representados en las porciones más pequeñas y los de consumo frecuente en las más grandes.

4. La pirámide nutricional

Es otra forma de representar de manera gráfica los grupos de alimentos.

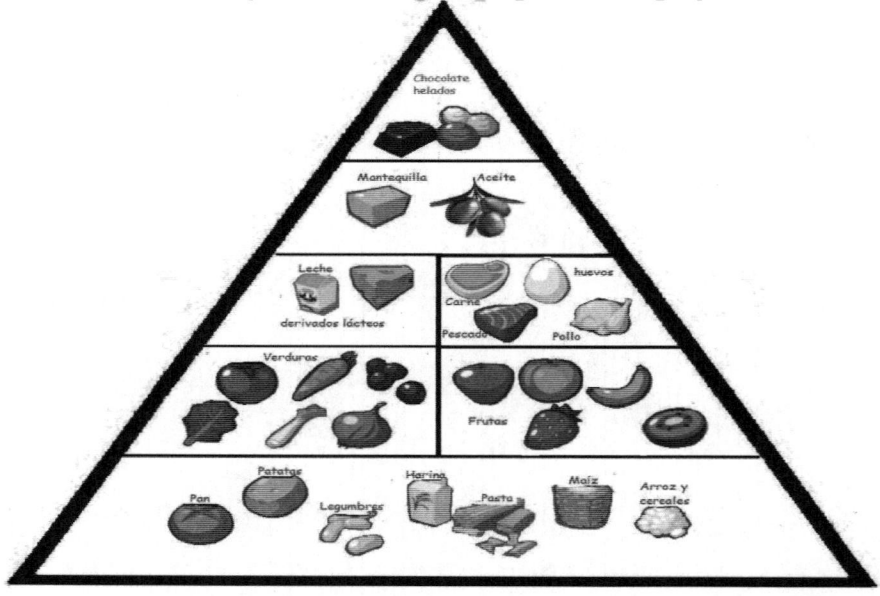

En la pirámide nutricional *los alimentos de consumo frecuente se encuentran en la base*, mientras que los que deben consumirse solo en ocasiones esporádicas se encuentran en el vértice superior.

5. Raciones recomendadas

Ahora que ya conoces los grupos de alimentos, es probable que te preocupe saber qué cantidad de cada uno debes comer y con qué frecuencia.

Una forma sencilla de elaborar una dieta sin necesidad de hacer cálculos de calorías o de nutrientes *es mediante el "sistema de raciones".*

Este sistema sirve para tener una idea aproximada de las cantidades o porciones de alimento que nos conviene tomar.

Aunque se considera que una ración de alimento es la cantidad que se consume de manera habitual, no todas las personas consumen las mismas cantidades, por lo que se han calculado raciones medias.

Según el sistema de raciones

ALIMENTO	FRECUENCIA RECOMENDADA EN RACIONES	TAMAÑO DE LA RACIÓN	MEDIDA CASERA
Patatas, cereales y derivados	4 - 6 día	60-80 g arroz, pasta	1 plato normal
		40-60 g pan	3 - 4 rebanadas o 1 panecillo
		150-200 g patatas	1 patata grande o 2 pequeñas
Verduras y hortalizas	2 o más día	150-200	1 plato de ensalada variada
			1 plato de verdura cocida
			1 tomate grande o 2 zanahorias
Frutas frescas	3 o más día	120-120	1 pieza mediana
			1 taza de cerezas, fresas...
			2 rodajas de melón…
			2 cdas. mermelada
Aceite de oliva	3-6 día	15 cc	1 cucharada sopera
Leche y derivados	2-4 día	200-250 cc	1 taza de leche
		200-250 g de yogur	2 unidades de yogur
		40-60 g queso curado	2-3 lonchas de queso
		80-125 queso fresco	1 porción individual o 2 quesitos
Pescados, carnes magras, aves y huevos	3-4 semana	125-150 g	1 filete individual
			1 filete pequeño
			¼ pollo o conejo, 1 o 2 huevos
Legumbres secas	2-4 semana	60-80 g	1 plato normal
Frutos secos	3-7 semana	20-30 g	1 puñado
Embutidos, carnes grasas Mantequilla, margarina bollería Refrescos y dulces	Consumo ocasional "		
Agua de bebida	4-8 día	200 ml (aprox.)	1 vaso o 1 botellín

→ Los embutidos, el alcohol, los dulces y la bollería aportan muchas calorías y son perjudiciales por su contenido en grasas saturadas. Es mejor tomarlos solo de forma ocasional.

6. "Cinco" comidas al día

Es también muy importante que te habitúes a repartir lo que comes a lo largo del día, en 5 o 6 comidas:

Desayuno
Almuerzo
Comida
Merienda
Cena
1 vaso de leche antes de acostarse (ayuda a niños y mayores a conciliar el sueño).

Observa en qué momento del día te mantienes más activo, normalmente suele ser por la mañana, pero quizás tus horas de mayor actividad sean por la tarde.

Las comidas que precedan a tus horas de mayor actividad deben aportarte más energía, para que puedas aguantar sin problemas.

El desayuno debe ser fuerte, ya que sales de toda una noche de ayuno y tu despensa de glucógeno estará casi vacía. Un vaso de leche no es suficiente para afrontar la mañana.

Si no desayunas, no podrás mantener la atención en clase o en el trabajo, porque ni tus músculos ni tu cerebro tendrán la suficiente glucosa para funcionar y te sentirás cansado.

La comida también debe ser fuerte, porque aún te queda medio día por delante.

En cambio *es mejor que hagas una cena ligera*, porque durante el descanso nocturno necesitas mucha menos energía. Además, una cena abundante puede hacer que pases una mala noche por culpa de una digestión pesada.

Si a media mañana y a media tarde tomas un tentempié tu cuerpo te lo agradecerá porque, de esta forma, le vas aportando energía a medida que la necesita. Ya verás como te sientes mejor.

→ *¡Pero cuidado!, se trata de repartir la cantidad total de lo que comerías a lo largo del día entre las 5 o 6 comidas* y no de que el almuerzo y la merienda sean otras dos comidas en sí mismas.

Si lo haces bien notarás que tienes energía durante todo el día y evitarás llegar a la comida o a la cena arrastrándote –por culpa de un bajón de glucosa– y con la necesidad de engullir todo lo que se te ponga por delante.

7. Ejemplo de Dieta Equilibrada

Desayuno:
1 vaso de leche con cacao u otro lácteo (yogur, queso)
+ 2 rebanadas de pan con mantequilla y mermelada o miel
+ 1 fruta o ½ vaso de zumo

Media mañana:
1 bocadillo pequeño de jamón, queso con tomate o atún al natural
+ 1 infusión o 1 café

Comida:
1 ensalada (1 plato para ti, no vale "pinchar del centro")
+ 1 guiso, o potaje de legumbres,
    o 1 plato de pasta con atún o carne o
    un plato de paella
+ un poco de pan
+ 1 fruta

Merienda:
1 yogur
+ frutos secos

Cena:
1 plato de verdura
+ 2 huevos en tortilla o revueltos

o pescado
+ Un poco de pan
+ 1 trozo de queso fresco o 1 yogur

8. El sistema de intercambios de alimentos

Cuando un profesional de la nutrición te prescribe una dieta, lo más habitual es que te elaboren una dieta de menús cerrados –en los que tú no puedes elegir qué quieres comer cada día–, del tipo de:

Desayuno: 200 ml de leche con café o té sin azúcar con 200 g de fruta o 30 g de pan integral.

Merienda: 200 ml de leche con café o té sin azúcar con 200 g de fruta.

Comida: 200 g de coliflor hervida. 100 g sin desperdicios de pollo asado.

Cena: Sopa de pasta (30 g pesada en crudo). 100 g de pescado (sin desperdicios) a la plancha con lechuga y tomate (100 g).

Sin embargo, en algunas dietas puedes encontrarte una frase como: "Tomará dos intercambios de hidratos de carbono".

El sistema de intercambios es parecido al de las raciones, pero mucho más exacto.

Un "intercambio" es la cantidad de alimento que contiene 10 gramos de alguno de los nutrientes energéticos[11].

Es decir, los gramos de un alimento que contienen:

    10 g de proteínas
    10 g de hidratos de carbono
    10 g de grasas

---

[11] Ver en Anexo, página 170, Tabla de cantidades de alimentos por unidad de intercambio.

Este sistema nos permite ser mucho más exactos que con el sistema de raciones a la hora de sumar la cantidad de nutrientes que deben componer la dieta diaria, lo que resulta útil en personas diabéticas.

Una ventaja de este método es que con él se pueden diseñar dietas personalizadas muy precisas, en las que la persona para la que se diseña puede elegir libremente los alimentos de cada comida, con la única condición de que respete la cantidad de intercambios que se le indican.

Capítulo 6
EL ETIQUETADO NUTRICIONAL DE LOS ALIMENTOS

1. Envoltorios de colores

¿Cuántas veces has ido a la compra y has llenado el carrito con yogures, galletas, latas y otro montón de alimentos, sin pararte a pensar en si estás gastando tu dinero en productos que realmente os alimentan y os aportan salud a ti o a tu familia? Si lo piensas un poco descubrirás que habitualmente nos dejamos llevar por la publicidad, por esa salud que nos prometen las sustancias añadidas, por los colores y la forma del envase, por los regalitos que van dentro del paquete o por cualquier otro motivo que no tiene nada que ver con la nutrición.

Pero ahora sí. Ahora ya eres capaz de leer e interpretar las etiquetas de información nutricional que figuran en todos los alimentos envasados. Te diría más, no solo eres capaz, sino que es importante que lo hagas si de verdad has decidido cuidarte. ¿Alguna vez has comprado una prenda de vestir sin mirar la etiqueta? Todos lo hemos hecho, pero más tarde hemos pagado las consecuencias, porque resultó que aquella prenda ¡no se podía lavar! y teníamos que llevarla a la tintorería, otras veces porque la hemos lavado y ha encogido, o porque no se debía planchar y lo hemos hecho. Muchas y muy variadas razones aconsejan leer la etiqueta antes de comprar, y ¿qué razón puede ser más importante que tu salud? Absolutamente ninguna.

2. ¿Qué es el etiquetado nutricional?

Es una etiqueta que ofrece al consumidor información sobre las cualidades nutricionales de los alimentos.

En el etiquetado nutricional vienen expresados tanto el aporte energético –las calorías– como los nutrientes que contiene el alimento.

3. ¿Por qué debemos leer las etiquetas de los alimentos?

Leer estas etiquetas te sirve para comparar alimentos de forma rápida.

Te ayuda a seleccionar mejor qué alimentos te convienen cuando quieres que tu alimentación sea sana y equilibrada, o cuando necesitas adelgazar o engordar, si tienes una intolerancia, diabetes u otro motivo por el que debas rechazar un tipo de alimento.

4. ¿Cómo se expresa la información nutricional?

La información nutricional *viene expresada por 100 g o 100 cc de alimento* y por ración de consumo habitual.

INFORMACIÓN NUTRICIONAL
Porción   g o ml (medida casera)
Cantidad por porción % CDR (*)
Valor energético... Kcal =...Kj
Carbohidratos... g
Proteínas... g
Grasas totales... g de las cuales:
Grasas saturadas... g
Grasas trans... g
Fibra alimentaria... g
Sodio... mg
(*) % Cantidades Diarias Recomendadas con base en una dieta de 2.000 Kcal o 8.400 Kj

En la etiqueta, la palabra "ración" se refiere a la cantidad de dicho producto que generalmente consume una persona en una ocasión.

Es muy probable que las porciones especificadas en las etiquetas no se correspondan con las cantidades que tú consumes de manera habitual.

Compara la porción que se indica en el envase con la cantidad que tú comes.

Si comes más o menos que la porción que se indica, estarás consumiendo también más o menos cantidad de los nutrientes que se detallan en la etiqueta.

5. ¿Qué son las Cantidades Diarias Recomendadas?

La Cantidad de Diaria Recomendada o *CDR es la medida de un nutriente que debemos ingerir diariamente para mantener la salud.*

Estas cantidades son solo orientativas, ya que normalmente se establecen basándose en una dieta de 2.000 o de 2.500 calorías.

En los envoltorios de los alimentos, las CDR figuran así:

TABLA 1: CANTIDADES DIARIAS ORIENTATIVAS PARA ADULTOS BASADAS EN UN CONSUMO DIARIO DE 2.000 KCAL (CALORÍAS)	
	CDO para adultos
Energía	2000 kcal (Calorías)
Total de grasas	No más de 70g
Grasas saturadas	No más de 20g
Carbohidratos	270g
Total de azúcares	No más de 90g
Proteínas	50g
Fibra	Al menos 25g
Sodio (sal)	No más de 2.4g (6g)

Las cantidades diarias recomendadas para cada persona varían según sus necesidades de energía y nutrientes, que pueden ser superiores o inferiores a las CDR que aparecen en las etiquetas, en función del sexo, la edad, el peso, el nivel de actividad física y otros factores.

Como es poco probable que una persona consuma las cantidades diarias de cada nutriente que se recomiendan, úsalas solo como punto de referencia, pero no te obsesiones pensando que tienes que comer exactamente las CDR.

Capítulo 7
LA SALUD SE PUEDE COMPRAR

1. Comprar salud

El primer paso para comer sano es tener a mano alimentos sanos.

¿Recuerdas aquella frase de Hipócrates que decía que "somos lo que comemos"? Esta expresión lo dice todo. A nadie se le ocurriría construir una casa con materiales defectuosos, porque antes o después aparecerían grietas y goteras y acabaría cayéndose. Con nuestro cuerpo ocurre lo mismo, si para crecer y para regenerar los tejidos le aportamos malos materiales en forma de alimentos no saludables, los efectos negativos saldrán antes o después provocando desde dolores, problemas en la piel y mucosas, caída del cabello, debilidad y obesidad hasta enfermedades importantes que pueden poner en peligro la vida.

Decididos entonces a cocinar con materiales de calidad, el primer paso es tenerlos en casa. Ve deshaciéndote de lo que ya no te interesa, porque tu salud vale mucho más que lo que te hayas podido gastar en esos productos que te perjudican y que están ocupando sitio en tus armarios de cocina o en el frigorífico. Deja espacio libre para la salud y a continuación pasa por el supermercado.

2. Lo que debes tener en tu despensa

Cuando vayas a cocinar sano, es conveniente que encuentres en tu cocina los ingredientes que necesitas para elaborar la receta que has pensado hacer

–e incluso para improvisar una comida–, porque si no los tienes acabarás comiendo cualquier cosa. Piensa que esto es como cuando vas a vestirte para una cena importante, si no tienes ropa para la ocasión te tienes que conformar con lo que tengas, por eso los expertos en moda recomiendan tener un "fondo de armario", ya sabes, unas cuantas prendas que siempre se pueden combinar y que sirven para múltiples ocasiones. Con tu despensa pasa lo mismo, hay algunas cosas que nunca deben faltar en ella, así es que *te recomiendo que te hagas con un "fondo de despensa"* como el de la siguiente lista.

EN TU DESPENSA siempre debe haber:

Pan
Pasta (espaguetis, macarrones)
Arroz
Legumbres (alubias, lentejas, garbanzos)
Patatas
Harina
Cebollas, ajos, laurel y hierbas aromáticas (orégano, perejil, tomillo, romero, clavo, azafrán… son muy útiles para dar sabor a los platos de forma sana)
Latas de atún (si necesitas adelgazar procura que sea "al natural")
Sardinas, mejillones
Latas de espárragos, maíz
Aceite de oliva virgen
Miel, mermelada

EN TU FRIGORÍFICO debes tener:

Pimientos, lechuga, tomates, zanahorias, apio
Judías verdes, guisantes, coliflor, espinacas, alcachofas, espárragos verdes (pueden ser congelados)
Jamón
Pechuga de pavo en fiambre
Queso fresco
Yogur, leche semidesnatada o de soja
Pechuga de pollo o de pavo fresca
Carne magra de cerdo o ternera
Algún tipo de pescado (puede ser congelado)

3. Qué meter en la cesta de la compra

La primera compra debe consistir en los alimentos que figuran en la lista de arriba (puedes adaptarla más o menos a tus gustos: unas verduras u otras, un tipo diferente de carne sin grasa, etc.).

Para las compras sucesivas ten en la cocina lápiz y papel y ve anotando los alimentos que vayas consumiendo antes de que se acaben. Procura reponerlos antes de acabarlos, para que nunca falten en tu "fondo de despensa", independientemente de que compres otras cosas.

4. Compra con el estómago lleno

Ir a la compra con el estómago vacío es la mejor forma de llenar el carrito con un montón de cosas de las que no te interesan. La sensación de hambre hará que pienses que necesitas mucho más de lo que en realidad precisas y comprarás productos de bollería, galletas, dulces y alimentos elaborados llenos de grasa.

→ *Cuando vayas a comprar alimentos sanos procura hacer la compra con el estómago lleno, eso te ayudará mucho.*

5. Cómo saber si los alimentos son frescos

Dicen que la cara es el espejo del alma y lo mismo se puede aplicar a los alimentos.

Cuando tienen mala cara es mal síntoma.

Un alimento fresco tiene buen color, está brillante, terso… te invita a comerlo.

Las verduras deben tener un color verde brillante y deben estar tersas. Si están mustias o amarillentas no las compres.

Lo mismo vale para **las frutas**. Escoge las que tengan buen color, brillo y tersura. Fíjate en el rabito de la fruta, si está marrón es señal de que la recogieron del árbol hace ya bastante tiempo.

La carne vieja tiene zonas ennegrecidas y se ve seca, la que está fresca tiene un color rojo brillante.

El pescado se estropea con rapidez, así es que observa atentamente los siguientes puntos:

Brillo. Si la piel ha perdido el brillo y está opaca es señal de que no es fresco.

Agallas de color rojo brillante. Si no están así el pescado ya tiene tiempo, no lo compres.

Carne con cierta dureza al tacto. Si se hunde al apretar es que no es fresco.

Ojos saltones y brillantes. Si tiene los ojos hundidos y opacos es que está viejo. Si le han quitado la cabeza, desconfía.

→ Sabemos si los **crustáceos** –gambas, langostinos, cigalas, cangrejos, percebes…– están frescos porque:

Tienen la superficie húmeda y reluciente

Los ojos están negros y brillantes

Las patas y la cabeza están bien sujetas al cuerpo y no se sueltan con simples roces

La carne de la cola es transparente o de color azulado o blanco

Huelen a algas y a mar

→ Cuando no están frescos:

La superficie está seca y no brilla

Las patas y la cabeza se desprenden fácilmente

Los ojos no tienen brillo y son opacos

Huelen muy mal

Los **moluscos** son una familia muy amplia que se divide entre los que tienen concha (berberechos, almejas, caracoles, ostras, mejillones…) y los que no (calamares, pulpos, sepia…).

Los moluscos con concha, cuando están frescos, suelen tener olor a mar y están vivos, además si los introducimos en agua con sal se abren inmediatamente. ¡Si ves que alguno permanece cerrado no lo consumas!

Los calamares, pulpos y otros moluscos sin concha se caracterizan por su olor a mar, su brillo, su viscosidad y humedad, además de tener la carne elástica pero fuerte.

Los huevos tienen fecha de caducidad, compruébala antes de comprarlos. Si ya los has comprado y quieres comprobar si son frescos o no, introdúcelos en agua, si se van al fondo están bien, si flotan, son viejos.

Los quesos no deben tener mohos.

Si **los frutos secos** están blandos o rancios no se deben consumir.

→ *Mira siempre la fecha de caducidad de los alimentos envasados y compra los que la tengan a más largo plazo.*

6. Paga salud también en el restaurante

Cuando comas fuera de casa busca siempre calidad. Si en casa no te conformas con cualquier cosa, en un restaurante tampoco.

No es necesario gastar mucho dinero, solo es cuestión de saber elegir.

En los restaurantes de comida rápida y los de tipo franquicia los platos les vienen preelaborados, con lo que la calidad y el contenido en azúcares y grasas saturadas suele ser poco recomendable.

Si un día tienes que comer en uno de ellos –porque no existe otra opción–, procura elegir platos sin salsas, lo más sencillos que puedas.

En un chino, por ejemplo, opta por el arroz, una ensalada y una carne o un pescado.

En un hamburguesería puedes pedir una ensalada y la hamburguesa más sencilla.

Lo mejor es escoger establecimientos en los que ofrezcan comida casera y tradicional y componer un menú a base de:

Verduras a la plancha o una ensalada
+

Un guiso (estofados), o un potaje (lentejas, habichuelas, garbanzos con espinacas, cocido), o un plato de pasta (macarrones, espaguetis, canelones o lasaña), o un arroz (con pollo, conejo, verduras, marisco), o una ración de pescado o carne con guarnición de verduras, o un revuelto con jamón o gambas, etc.
+

1 rodaja de melón, sandía o piña, o 1 yogur.

→ *Un plato fuerte, más una ensalada o un plato de verduras suele ser suficiente*, el hecho de salir a comer o a cenar no significa que haya que comer más de lo habitual.

→ *Si deseas tomar postre elige uno que sea ligero*, como una fruta, 1 sorbete de frutas, 1 yogur o un poco de queso fresco.

Capítulo 8
HIGIENE Y MANIPULACIÓN DE ALIMENTOS

1. La higiene es importante

Es importante que cuidemos la higiene cuando manipulamos y conservamos los alimentos.

Si descuidamos la forma en la que los tratamos *podemos provocar que los alimentos se contaminen* con sustancias de diversa índole:

Químicas (productos de limpieza, insecticidas, toxinas producidas por bacterias en alimentos mal conservados…)

Físicas (polvo, suciedad de la cáscara del huevo…)

Biológicas (hongos tipo Cándida o Aspergillus, bacterias como la Salmonella, virus como el de la hepatitis A, parásitos como el Anisakis del pescado, etc.), que son las más habituales[12].

2. Los alimentos pueden transmitir enfermedades

Los alimentos, el agua o los productos elaborados con ellos pueden producir enfermedades si están contaminados. *Este tipo de enfermedades se llaman* ETA, que significa *"Enfermedades de Transmisión Alimentaria"*.

---

[12] Fuente: Ministerio de Sanidad y Consumo del Gobierno de España.

3. ¿Qué síntomas producen las ETA?

Los síntomas más habituales de las toxiinfecciones producidas por agua y alimentos son:

Náuseas y vómitos
Diarrea
Dolor de estómago
Dolor de cabeza
Dolores musculares
Fiebre
Problemas respiratorios

Dependiendo del tipo de bacteria los síntomas pueden aparecer a los pocos minutos –después de haber comido o bebido–, pasadas unas horas, e incluso días. Normalmente los síntomas aparecen antes de las 24 a 72 horas de la ingestión.

→ *Las enfermedades transmitidas por alimentos pueden llegar a causar la muerte* y las personas más vulnerables a este tipo de infecciones son los niños, los ancianos y las mujeres embarazadas.

4. Alimentos con mayor riesgo

No todos los alimentos tienen el mismo riesgo, ya que esto depende de las características de cada uno de ellos.

Los alimentos con mayor riesgo de contaminarse y por lo tanto de producir ETA *son los que contienen proteínas y vitaminas o un alto contenido en agua*, como:

El huevo y cualquier preparación que los contenga crudos o poco cocinados (tortillas, revueltos, mayonesa, crema pastelera, etc.).
La carne cruda o mal cocinada
Los pescados y mariscos
La leche y sus derivados
Las verduras mal conservadas

5. Otros factores que aumentan el riesgo de contaminación

Existen otros *factores que aumentan el riesgo de contaminación* de los alimentos, que *son: la humedad ambiental, la temperatura elevada y el tiempo que el alimento permanece en contacto con los elementos contaminantes.*

Las **temperaturas de seguridad** para los alimentos son:

Cocinar el alimento a más de 60 °C (zona caliente)
Conservación entre 0 °C y 4 °C, o por debajo de los 0 °C (zona fría)

La temperatura de peligro para los alimentos se encuentra entre los 5 °C y los 60 °C

→ *Los alimentos no deben permanecer a temperatura ambiente más de 2 horas, o 1 hora si es verano o existe calefacción.*

6. "Cinco" reglas de oro para evitar la contaminación

Existen 5 reglas de oro para evitar la contaminación, que son:

LAVAR con agua potable:

Las frutas y verduras

Los paños de cocina deben lavarse siempre con jabón y cambiarlos todos los días, porque son un foco de bacterias.

Las superficies deben lavarse con lejía al menos una vez al día. No se deben depositar en la mesa o en la encimera de la cocina objetos que hayan estado en contacto con el suelo o que estén sucios: bolsas de la compra, mochilas, ropa, etc., y si se ha hecho deben limpiarse las superficies con agua y jabón desinfectante o lejía.

Las manos deben lavarse "siempre con agua y jabón" –haciendo espuma para que tenga efecto bactericida–, antes y después de: ir al baño, manipular alimentos, tocar un animal, tocar la escoba o la fregona, cambiar un pañal…

Lavar las ollas y sartenes, platos, vasos y cubiertos con agua y jabón restregando bien para que no queden restos de comida.

Deben guardarse en armarios cerrados, para evitar que estén en contacto con algún tipo de suciedad, polvo, insectos, etc.

Nunca se deben dejar los útiles de cocina en el suelo.

SEPARAR

Guardar separadamente los alimentos crudos y los cocinados, para evitar la contaminación. Es conveniente cubrirlos con plástico transparente o ponerlos en recipientes bien tapados.

Separar la basura de los alimentos y mantenerla tapada.

No guardar los productos de limpiar el baño en la cocina, porque pueden confundirse y producir intoxicaciones.

No guardar productos de limpieza en botellas de alimentos o al alcance de los niños.

Los animales no deben entrar en la cocina ni estar en contacto con alimentos.

Proteger los alimentos de insectos y parásitos.

CONSERVAR

Hay un sitio para cada cosa, así es que cada cosa debe estar en su sitio:

Los alimentos secos deben estar en la despensa.

Los alimentos frescos deben conservarse siempre en el frigorífico o en el congelador.

El frigorífico y la despensa deben estar siempre ordenados y limpios.

Los alimentos recién comprados hay que ponerlos al fondo y traer al frente los más antiguos, para facilitar el consumo de los que van a caducar pronto.

ENFRIAR

La conservación a baja temperatura evita que se desarrollen microorganismos en los alimentos.

Después de hacer la compra y después de cocinar debes introducir los alimentos en el frigorífico lo antes posible, para evitar el crecimiento de bacterias y prevenir enfermedades.

La comida sobrante no debe permanecer a temperatura ambiente más de 2 horas, pero si es verano o la temperatura de la casa es elevada nunca más de 1 hora.

Para descongelar un alimento pásalo al frigorífico, utiliza el microondas o introdúcelo en agua fría.

→ *Nunca se debe volver a congelar un alimento que se ha descongelado.*

Para que el frigorífico sea seguro, es imprescindible limpiarlo una vez al mes y siempre que se derrame algo en su interior, además de descongelarlo siempre que tenga escarcha.

COCINAR

Cuando calentamos un alimento por encima de los 60 °C estamos destruyendo los microorganismos que pueden producir enfermedades.

Los huevos deben cocinarse hasta que tanto la yema como la clara estén cuajadas.

Sabremos que las carnes están cocinadas de forma correcta cuando veamos que ya no están rojas en el centro ni sus jugos.

Los pescados también deben cocinarse durante unos minutos.

7. Cómo conservar los alimentos secos

Los alimentos no perecederos como arroz, azúcar, harina, legumbres, hierbas aromáticas, pastas, galletas, etc., deben guardarse en la despensa.

Lo que guardes en la despensa debe estar bien envasado y hermético, ya sea en frascos o en bolsas bien cerradas. Puede ser útil utilizar pinzas para cerrar bien los paquetes.

Es importante evitar la humedad y la contaminación por insectos.

Procura ordenar la despensa de vez en cuando, revisa las fechas de caducidad, tira los alimentos que hayan caducado y trae al frente los que estén próximos a caducar, para que sean los primeros que consumas.

8. Cómo conservar los alimentos frescos

Los alimentos frescos como carne, pescado, huevos, verduras, pastelería, etc., deben envasarse en recipientes bien tapados o cubrirlos con plástico transparente y guardarse en el frigorífico o en el congelador lo antes posible, antes de 1 hora si hace calor, máximo 2 horas si la temperatura ambiental es más fresca.

Con los alimentos cocinados el proceso debe ser el mismo.

Envasa separados los alimentos crudos y los cocinados para evitar que entren en contacto y que se contaminen.

Revisa el frigorífico una vez a la semana y tira los alimentos que hayan caducado y los que tengan mohos o estén estropeados[13] (no es normal que el queso tenga moho).

Limpia el frigorífico de forma regular –una vez a la semana– y siempre que se derrame algo dentro. Procura mantenerlo sin escarcha para que funcione correctamente.

→ Cada alimento tiene su lugar en el frigorífico:

[13] Para saber si los alimentos están frescos, ver capítulo 7.5, página 73.

Los huevos se guardan en la puerta del frigorífico. ¡Cuidado con la fecha de caducidad!, porque no se deben consumir cuando tienen más de 21 días[14]. Los huevos se lavan "cuando se van a utilizar, nunca antes de guardarlos en el frigorífico", porque la cáscara es porosa y las bacterias penetran en el interior del huevo al lavarlo.

Los lácteos se guardan en la puerta del frigorífico. Debe tenerse especial cuidado en que estén bien cerrados y evitar que se derramen. Respeta siempre la fecha de caducidad y tira los que hayan caducado.

Las frutas y verduras duran de 3 a 5 días y se guardan en la parte baja del frigorífico. Revísalas de vez en cuando y tira las piezas que se hayan estropeado para evitar que se contaminen otros alimentos. Si están en bolsas de plástico cambia la bolsa cada 2 días, para evitar la condensación de humedad, que estropea los alimentos.

Las carnes y pescados duran un par de días y se guardan en recipientes bien cerrados en la parte baja del frigorífico. Siempre deben estar separados de otros alimentos.

Las comidas preparadas que contengan carne, pescado o huevo se deben guardar en la parte superior durante no más de 24 horas, bien envasadas y cerradas herméticamente, para evitar que se contaminen con alimentos frescos. Las pastas, guisos de legumbres, arroces y verduras pueden durar hasta 3 días, pero hay que calentarlos bien antes de consumirlos.

Los congelados deben guardarse lo antes posible en el congelador. Antes de congelar carnes, pescados o verduras, procura empaquetarlos en raciones pequeñas que contengan lo que vayas a utilizar cada vez (1 o 2 filetes, 1 trozo de pimiento…), porque una vez congelado se convierte en un bloque imposible de dividir.

→ ¡NUNCA SE DEBE VOLVER A CONGELAR UN ALIMENTO QUE SE HA DESCONGELADO!

---

[14] Para comprobar si los huevos están frescos introdúcelos en un recipiente con agua, si se van al fondo se pueden consumir sin problemas, si flotan tíralos.

Si algo se ha descongelado cocínalo antes de volverlo a congelar y si ya estaba cocinado consúmelo en 24 horas.

Para descongelar un alimento pásalo a la zona de frigorífico unas horas antes, utiliza el microondas o introdúcelo en agua fría.

EN RESUMEN, una correcta higiene alimentaria requiere:

1.- Lavarse las manos con frecuencia, con agua y jabón, haciendo espuma para que tenga efecto bactericida.

2.- Conservar los alimentos frescos en el frigorífico o en el congelador y los no perecederos en la despensa.

3.- Lavar los utensilios y las superficies de la cocina con agua y jabón después de cada preparación. NO utilizar los mismos utensilios o cubiertos para alimentos crudos y cocinados.

4.- Evitar que los animales domésticos entren en la cocina. Evitar el contacto de los alimentos con los animales (perros, gatos, hámsteres, etc.) y proteger los alimentos de los insectos, tanto en la cocina como en la mesa.

5.- Evitar toser, estornudar, tocarse la nariz o el pelo en el ambiente en el que se manipulan alimentos o se come.

6.- Cambiar y lavar los paños de cocina diariamente, porque son una fuente de contaminación.

7.- Evitar conservar dentro del horno o en las encimeras preparaciones que contengan huevos o carne, aunque estén cubiertas con un paño.

8.- Después de la cocción guardar la comida en el frigorífico o en el congelador antes de que pasen 2 horas, o 1 hora si hay calefacción o hace calor.

9.- No volver a congelar los alimentos que se han descongelado.

10.- Tirar los alimentos que hayan caducado, los que se hayan estropeado y los que tengan mohos.

Capítulo 9
LA DIETA MEDITERRÁNEA

1. De lo sano, lo mejor

Aunque ya hemos hablado sobre lo que debemos comer y en qué cantidades, aún podemos mejorar nuestra alimentación.

Durante los años 30 se llevó a cabo un estudio nutricional que descubrió que en algunos países de la cuenca mediterránea el porcentaje de infartos de miocardio y de muerte por cáncer era menor que en otros lugares.

La sorpresa de los investigadores fue tan grande que se dedicaron a buscar la posible causa y descubrieron que la dieta tenía un papel fundamental, lo que originó que se hablara de la dieta mediterránea como un factor a tener en cuenta en la prevención de enfermedades.

Desde entonces las principales asociaciones científicas, médicas y nutricionistas recomiendan seguir la dieta mediterránea, la *Organización Mundial de la Salud la aconseja como "fuente de salud y bienestar" y en el año 2010 fue declarada "Patrimonio Inmaterial de la Humanidad" por la UNESCO.*

→ La dieta mediterránea es el mejor modelo de dieta equilibrada que existe y coincide totalmente con la dieta tradicional española.

2. ¿Qué es exactamente la dieta mediterránea?

La dieta mediterránea es la forma en que se alimentan, desde hace varios siglos, *los países bañados por el mar Mediterráneo.*

De sus propiedades se benefician:

Algunos países europeos como España, Francia, Italia, Chipre, Grecia, Portugal, la antigua Yugoslavia, Albania, San Marino o Mónaco.

También Marruecos, Túnez, Malta, Libia, Israel, Jordania, Egipto, y Siria.

Aunque Portugal no es un país mediterráneo, también disfruta de las ventajas de la dieta mediterránea, debido a la influencia que recibe de España.

3. ¿Qué beneficios nos aporta la dieta mediterránea?

Una alimentación basada en la dieta mediterránea:

1. *Reduce las probabilidades de muerte por enfermedades cardiovasculares*[15], debido a que esta dieta:

Disminuye el colesterol LDL y su oxidación, gracias a la grasa monoinsaturada del aceite de oliva y frutos secos, así como de los polifenoles que contienen las frutas y las verduras.

Disminuye los niveles de coagulación sanguínea gracias a los ácidos grasos monoinsaturados de los frutos secos.

Aumenta el colesterol HDL (bueno), asociado a un consumo discreto de vino.

Disminuye la tensión arterial, y los niveles de triglicéridos[16], gracias a los ácidos grasos poliinsaturados, de la serie omega 3.

Aporta cantidades importantes de antioxidantes y fibra dietética.

2.- *Reduce el riesgo de padecer asma en los niños y disminuye la sensibilización alérgica.*

---

[15] Fuente: Facultad de Medicina de Reus. Fundación Bosch Gimpera (Universidad de Barcelona), y Ministerio de Sanidad y Consumo.
[16] ¿Qué son los triglicéridos?: capítulo 10.13, página 130.

3.- *Ayuda a prevenir el Alzheimer y retrasa el envejecimiento*, ya que mejora la salud de los vasos sanguíneos y de las células en general.

4.- *Previene ciertos tipos de cáncer*. Las investigaciones han demostrado que más de un 30 % de los cánceres están producidos por una mala alimentación, y la dieta mediterránea actúa de forma muy favorable sobre la composición de la membrana de las células, fortaleciéndola contra las agresiones cancerígenas.

5.- En embarazadas reduce el riesgo de que el bebé pueda padecer espina bífida, gracias al ácido fólico que aportan las verduras.

4. ¿Qué debo comer según la dieta mediterránea?

Para seguir la dieta mediterránea:

1.- Come *alimentos de origen vegetal* en abundancia: frutas, verduras, pan, pasta, arroz, cereales, legumbres y patatas.

2.- Consume *alimentos de temporada* en su estado natural, escoge siempre los más frescos.

3.- Utiliza el *aceite de oliva* como grasa principal, tanto para aderezar como para cocinar.

4.- Consume a diario una cantidad moderada de *queso y* de *yogur.*

5.- Consume *pescado, preferentemente azul* (sardina, caballa, salmón, boquerones o atún, por su contenido en ácidos omega 3), aves y huevos dos o tres veces por semana.

6.- Consume *frutos secos, miel y aceitunas* con moderación.

7.- La *carne roja* debes consumirla *pocas veces* al mes.

8.- Puedes tomar *un vasito de vino*, preferentemente tinto, durante las comidas (solo *si eres adulto* y si no tienes ninguna contraindicación médica).

9.- Utiliza hierbas aromáticas para dar sabor a los platos y *reduce el consumo de sal*.

10.- Realiza alguna *actividad física regular* para mantenerte en forma, hacer trabajar a tu corazón y mantener en forma tus articulaciones.

5. Pirámide nutricional de la dieta mediterránea

Raciones recomendadas

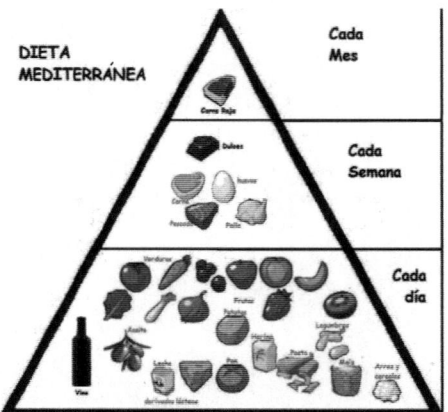

Esta pirámide nutricional es una representación gráfica de las cantidades y la frecuencia con que debemos consumir los alimentos que componen la dieta mediterránea[17].

En la parte de arriba de la pirámide –el vértice es más pequeño– vemos los alimentos que debemos consumir con menos frecuencia, mientras que *en la base –la parte más ancha– encontramos los alimentos que deben constituir la base de nuestra alimentación* y que por lo tanto debemos consumir diariamente y en mayor cantidad.

Los consumos que se representan en la pirámide de abajo son los que se recomienda tomar a diario.

---

[17] Pirámide de la dieta mediterránea realizada por expertos en nutrición de la Organización Mundial de la Salud, *Oldways Preservation Exchange Trust* y FAO. En ella se muestran tanto los consumos diarios, como los semanales y mensuales.

LA PIRÁMIDE NUTRICIONAL ADAPTADA
A LA DIETA MEDITERRÁNEA

AZÚCAR (con moderación) — ACEITE DE OLIVA

CARNE, HUEVOS, PESCADO, Y
LEGUMBRES 2 raciones (100 grs.)* — VERDURAS 2 raciones (125 grs.)*

LECHE, YOGUR, Y QUESO
2-3 raciones (200 grs.)* — FRUTAS 2-3 raciones (130 grs.)*

PAN, CEREALES, ARROZ, PASTA, Y TUBÉRCULOS 3-5 raciones (60 grs.)*

(*) Raciones recomendadas en adultos (gramos por ración).

Como puedes observar, en las dos pirámides:

1.-Los carbohidratos *son la base de la dieta mediterránea.*

→ *Debes consumir de 3 a 5 raciones al día de alimentos hidrocarbonados.*

Es conveniente que sean carbohidratos complejos o de absorción lenta (pan, pastas, arroz, cereales, patatas y legumbres).

2.- Los glúcidos simples o de absorción rápida

Como azúcares, galletas, helados y bollería se encuentran en el vértice superior.

→ *Solo se deben consumir de forma esporádica.*

3.- Las frutas y las verduras

También son ricos en hidratos de carbono y además tienen la ventaja de contener mucha fibra, que te ayuda a mantener sano tu intestino.

En este punto se incluyen los frutos secos.

→ *Debes consumir 2 o 3 raciones de fruta más 2 raciones de verdura* (de 200 g cada una) *al día.*

4.- Lácteos

→ *2 o 3 raciones de lácteos al día.*

Te aseguran el aporte de calcio que necesitas (si tienes intolerancia a los lácteos puedes tomar derivados de la soja enriquecidos en calcio).

5.- Alimentos proteicos

→ *2 raciones de proteínas al día* –carne, pescado, huevos o legumbres– son suficientes y también necesarias.
"Ni más ni menos" es la cantidad correcta de proteínas.

→ Recuerda que puedes emplear la técnica de suplementación de alimentos para conseguir proteínas de alta calidad.

6.- El aceite de oliva

Del tipo extra, de primera presión en frío, *es la grasa de más alta calidad y por lo tanto la más sana.*

Acostúmbrate a usarlo como única grasa en tu cocina, tanto para aliñar como para cocinar, en las tostadas… para todo.

A pesar de sus buenas cualidades *debe usarse siempre en pequeñas cantidades*, como algo muy valioso.

→ RECUERDA: las grasas son el nutriente que más energía te aporta.

7.- Grasas

Ya sabes que debes consumir cualquier alimento que tenga un alto contenido en grasa *en muy poca cantidad*, porque aportan muchas calorías, y los de origen animal contienen además grasas saturadas.

Los frutos secos, en cambio, a pesar de tener un contenido graso elevado, resultan mucho más sanos, porque sus grasas son insaturadas, por lo que puedes consumirlos con moderación.

→ CONCLUSIÓN: La dieta mediterránea es una dieta equilibrada que satisface todas tus necesidades nutricionales.

6. Conseguir proteínas de alta calidad con alimentos de origen vegetal es "mediterráneo"

En el capítulo 1.16 vimos que es posible conseguir proteínas de alta calidad combinando un alimento vegetal, que es deficitario en un aminoácido, con otro que lo contiene en cantidad inversa.

La observación de la cocina popular de la zona mediterránea llevó a la creación de numerosas recetas típicas que contienen alimentos que se suplementan entre sí y que en conjunto componen una comida altamente nutritiva, como las siguientes:

CEREALES CON LEGUMBRES:
Lentejas con arroz
Alubias con arroz
Sopa de garbanzos con fideos
Cuscús con soja
Arroz o espagueti con guisantes

LÁCTEOS CON CEREALES:
Arroz con leche
Pizza, base de pan con queso
Bocadillo de queso
Leche con cereales
Lasaña o canelones con bechamel y queso

CEREALES CON FRUTOS SECOS:
Muesli con frutos secos
Pan o tortas con almendras, nueces o avellanas
Cuscús con frutos secos
Ensalada de arroz con frutos secos
Espaguetis con piñones

7. Platos de la dieta mediterránea

Las recetas y platos de la dieta mediterránea, que ya se conocen en todo el mundo por sus cualidades culinarias y saludables, no son ni más ni menos que los que tradicionalmente cocinaban nuestras abuelas.

ENSALADAS Y VERDURAS
Las ensaladas y verduras de todo tipo, el gazpacho, la *vichyssoise*, los purés y budines de verduras, los pistos y los revueltos.

PLATOS DE CUCHARA
Lentejas, habichuelas y garbanzos, cocinados en todas sus variantes, los estofados y los guisos de patatas con pollo, carne o pescado.

CARNES
De pollo, conejo y cerdo cocinadas con salsas que incluyen verduras (ajo, cebolla, zanahoria, tomate, champiñones...) y especias o a la plancha. Ternera en ocasiones esporádicas.

HUEVOS
Duros, fritos en aceite de oliva, escalfados, en tortillas o en revueltos de todo tipo.

PESCADOS
Todo tipo de pescados a la plancha, fritos en aceite de oliva, en salazón o escabechados.

ARROCES
Paellas de pollo, marisco o verduras, caldero. Arroces como guarnición de recetas de pollo, carne o huevos.

PASTAS
Macarrones, espaguetis, canelones, lasañas... acompañados de tomate y queso, con atún, carne, verduras, almejas, o en ensalada.

PAN
Pan con aceite, con tomate y aceite, con ajo y aceite, pan con jamón o con queso, con aceitunas, con nueces o con almendras, pan como base

de pizza, de *pannetone*, migas con tropezones, sopas de pan… pan con todo.

POSTRES DULCES
El arroz con leche, las natillas, las pastas con almendras o piñones, los flanes, budines, los helados hechos con leche y huevos y los sorbetes de frutas.

POSTRES DE FRUTAS
Las macedonias, las frutas naturales, en conserva, en compota, mermeladas, frutas acompañadas de yogur.

8. Ejemplo de dieta mediterránea

Desayuno
1 café con leche
+ 2 rebanadas de pan con aceite de oliva y jamón serrano
+ 1 fruta o ½ vaso de zumo

Media mañana
1 bocadillo pequeño de queso con tomate
+ 1 infusión o 1 café

Comida
1 Plato grande de ensalada variada
+ 1 Guiso, o potaje de legumbres, o 1 plato de pasta con atún o con carne o un plato de paella
+ Un poco de pan
+ 1 Fruta
+ 1 Copa de vino tinto (solo adultos que no lo tengan desaconsejado)

Merienda
1 Café con leche
+ 1 Fruta

Cena
1 Plato de espinacas con piñones
+ 1 Tortilla de queso
+ Un poco de pan
+ 1 Yogur

Capítulo 9
LA COMIDA Y TÚ

1. ¿Tú por qué comes?

¿Alguna vez te has parado a pensar en por qué comes?

Es posible que contestes que porque tienes hambre, o porque es necesario, o porque lo que tienes delante te apetece.

Sabemos que comemos para nutrirnos, pero el acto de comer es para los seres humanos mucho más.

La comida es un placer para nuestros sentidos, nos entra por la vista, por el olfato, por su textura –que sentimos en la boca–, por su sabor, por el oído, sí, hasta por el sonido que hace una patata frita nos sentimos invitados a comerla.

Comemos por tradición, porque es un acto social –¿te das cuenta de que todo lo celebramos comiendo?–, o porque comer nos saca del aburrimiento, a veces comemos por inercia y otras veces por llenar un vacío, que no es del estómago, sino emocional. *Hay quienes encuentran en la comida un refugio, una compensación a sus frustraciones y a sus disgustos.*

→ Comer habitualmente por motivos diferentes al mero hecho de nutrirse puede traerte consecuencias que no deseas.

2. La malnutrición de las sociedades desarrolladas

Solemos pensar que las personas malnutridas son solo las de los países del tercer mundo que aparecen en las imágenes de televisión o en esas estupendas fotografías que han ganado un premio Pulitzer.

Esas personas padecen una grave desnutrición, porque no tienen qué comer. La desnutrición es una enfermedad que se produce como consecuencia de la absorción insuficiente de nutrientes, ya sea por falta de alimento o como consecuencia de otra enfermedad (malabsorción intestinal, enfermedades metabólicas, anorexia) y que si no se remedia conduce a la muerte.

Pero la malnutrición no es solo eso. *La malnutrición es la consecuencia de no cumplir con una dieta equilibrada, tanto en cantidad como en calidad.*

Se da por defecto y también por exceso –por sobrenutrición–, cuyas consecuencias son la diabetes, los niveles altos de ácido úrico, colesterol y triglicéridos, la obesidad y las enfermedades del corazón, enfermedades típicas de las sociedades desarrolladas que dan un valor excesivo a la comida.

Como ves una y otra son opuestas, pero tanto la desnutrición como la sobrenutrición tienen consecuencias graves para la salud.

3. ¿Existe el peso ideal?

¿Eres de esas personas que se obsesionan intentando llegar al "peso ideal"? Si es así no sufras más. *El peso ideal NO EXISTE.* No existen dos personas iguales, ni siquiera dos que tengan exactamente la misma talla y el mismo peso, porque sus estructuras óseas no serán iguales y sus porcentajes de músculo y de grasa corporal tampoco.

El profesor Grande Covián, gran investigador del campo de la dietética, decía en su libro *Nutrición y Salud* que *el peso ideal es aquel en el que la persona se siente bien y está sana*, por lo tanto es algo que implica tanto a la parte física como a la emocional.

4. Personas para todos los gustos

Afortunadamente no todos somos iguales y existe variedad entre los diferentes tipos de personas. Desde luego no es correcto crear un modelo de cuerpo al que haya que imitar. Si te fijas en la naturaleza verás que no existen dos plantas exactamente iguales aunque sean de la misma especie, a no ser que hayan sido manipuladas genéticamente.

Por lo tanto es completamente imposible ser exactamente igual que otra persona, por mucho que se intente.

Además *¿por qué querer ser un clon de otro, si lo que resulta atractivo de alguien es precisamente que sea "único"?*

5. Iguales y diferentes

Imagina dos chicos de la misma edad y que midan lo mismo. Uno es obeso, el otro musculoso. ¿Cuál de los dos pesará más?

Si has pensado que pesa más el obeso…Tu respuesta es equivocada.

El músculo pesa más que la grasa y ocupa menos espacio. Esta es una de las razones por las que las tablas de peso y talla no siempre nos sirven de guía. La composición corporal de cada persona es un factor que hay que tener en cuenta.

6. ¿Cuánto pesas?

¿Sabes cuánto pesas?

Para estar seguro de cuál es tu peso te tienes que pesar de forma correcta:

En un peso que sea exacto.

Siempre a la misma hora, lo ideal es que te peses nada más levantarte (antes de desayunar), pero después de haber vaciado tu intestino.

Sin ropa ni zapatos.

Una vez que sepas cuánto pesas, no es necesario que te peses todos los días y mucho menos a cada rato, ni siquiera si estás a dieta porque los datos que vas a recoger si haces eso no van a ser correctos, ya que nuestro peso fluctúa continuamente.

Una vez a la semana es más que suficiente si estás a dieta, y si no tienes problemas de obesidad o de delgadez excesiva es suficiente con que lo hagas 3 o 4 veces al año, para comprobar que no se producen variaciones importantes.

7. Calcula tu IMC

Sabiendo lo que pesas y lo que mides puedes calcular tu Índice de Masa Corporal, que permite diagnosticar si existe un desequilibrio ponderal, ya sea por delgadez excesiva o por obesidad.

El Índice de Masa Corporal (IMC), o índice de Quetelet –su inventor– es una referencia internacional adoptada por la Organización Mundial de la Salud desde 1998.

A pesar de que el IMC no distingue entre la grasa y la masa magra –el músculo– que componen tu cuerpo, es el método más práctico para evaluar los niveles de obesidad, enfermedad que se asocia a un incremento de las enfermedades cardiovasculares, hipertensión, diabetes, colesterol, triglicéridos y ácido úrico elevados, y a diferentes tipos de cáncer.

Se calcula dividiendo el peso en kg/talla en metros al cuadrado.

$$IMC = \frac{Peso\ (kg)}{Talla\ (m^2)}$$

Ejemplo: si una persona mide 1,75 y pesa 70 kg su IMC será 70 / (1,75 x 1,75) = 22,9

Calcula el tuyo y compáralo con la tabla siguiente:

Inferior a 18 = delgadez
Entre 18 y 24,9 = normal

Entre 30 y 39,9 = obesidad
Superior a 40 = obesidad mórbida

→ *Cuanto mayor es el índice, más alto es el riesgo de padecer enfermedades asociadas a la obesidad y muerte prematura.*

Límites del IMC.- Aunque es una medición válida para la mayoría de las personas mayores de 18 años, no se puede aplicar a todo el mundo, porque no tiene en cuenta la masa muscular ni la constitución ósea.

En personas muy musculosas la fórmula de cálculo del IMC puede dar un resultado muy elevado, sin que haya sobrepeso, lo que ocurre con algunos deportistas.

Tampoco es exacto con los niños, las mujeres embarazadas o en periodo de lactancia, los enfermos y las personas de edad avanzada.

Cuando se quiere ser más preciso se deben realizar otras pruebas, como la medida de los pliegues cutáneos y la impedancemetría (que distingue entre masa grasa y masa dura).

8. Mídete la cintura

También es importante saber dónde se localiza la grasa en el cuerpo.

Las complicaciones del exceso de grasa ocurren sobre todo cuando esa grasa se encuentra en la cintura y, sobre todo, cuando es grasa intraabdominal.

El *máximo riesgo* aparece cuando la circunferencia de la cintura es:

En hombres, mayor de 102 cm.
En mujeres, mayor de 88 cm.

→ *El riesgo de padecer enfermedades cardiovasculares y diabetes tipo 2 aumenta considerablemente en las personas que tienen una cintura ancha[18].*

---

[18] Según estudios realizados por el doctor Meisinger y su equipo, del Centro Nacional de Investigación para el Medioambiente y la Salud GSF, en Neuherberg, Alemania, cuyos resultados fueron publicados en la revista *American Journal of Clinical Nutrition*.

9. Sobrepeso u obesidad

Como decíamos en los puntos anteriores de este capítulo, el sobrepeso y la obesidad son dos conceptos difíciles de cuantificar, ya que no existe el peso ideal y la constitución corporal es diferente en cada persona.

Hay personas que no pesan mucho y que, sin embargo, están "gordas" en el sentido de que tienen flacidez. Otras personas tienen una baja estatura y aparentan estar gordas aunque no tengan un gramo de grasa, porque son de constitución ancha. Luego están los que pesan mucho a pesar de estar delgados porque son musculosos y sus músculos "engañan" a la báscula. Una persona que tenga una constitución ósea pequeña puede tener exceso de grasa aunque su peso esté por debajo del que figura en las tablas de peso ideal para su estatura y edad.

Hay quienes intentan cuantificar la obesidad según el número de células grasas que contiene el cuerpo.

20 billones = delgadez

40 billones = media

50-90 billones = obesidad

Pero ¿se pueden contar las células grasas?

La tarea de contar células es casi imposible, no podemos definir la obesidad según el peso ideal y el IMC tampoco es infalible. Entonces, ¿cómo podemos saber si necesitamos adelgazar?

Sea como fuere, un dato que hay que tener en cuenta –entre otros– es que *el cuerpo de la mujer tiene un mayor porcentaje de grasa que el del hombre y* que *esto es normal.*

Para no obsesionarte, lo más sensato es que acudas a un especialista antes de iniciar un régimen por tu cuenta y riesgo, porque a veces nos empeñamos en adelgazar cuando no nos hace falta y otras veces nos vendría bien quitarnos unos kilos y sin embargo no lo vemos.

10. No es lo mismo adelgazar que perder peso

Perder peso y adelgazar son dos cosas totalmente diferentes.

Adelgazar es perder grasa y no siempre que se pierde peso se pierde grasa, de hecho la mayoría de las veces que hay una pérdida de peso la grasa sigue estando en el mismo sitio que antes y el peso se recupera al poco tiempo.

11. ¿Necesitas adelgazar? Causas de la obesidad

Las causas de la obesidad pueden ser de diversa índole y el exceso de grasa y de peso no siempre proviene de un aporte excesivo de energía.

Existen *enfermedades de tipo endocrino* que conllevan alteraciones en el peso, aunque no son la causa más frecuente de obesidad, ya que las hormonas tiroideas de la mayoría de los obesos funcionan perfectamente.

Hay *factores psicológicos* –como la depresión y la ansiedad– que también son causa frecuente de obesidad, porque las personas que las padecen suelen comer en exceso para calmar su ansiedad.

Algunos *fármacos* (corticoides, esteroides, antidepresivos) también producen un aumento de peso, que comienza a producirse con el inicio del tratamiento.

La *genética* es, asimismo, un factor que hay que tener en cuenta, puesto que determina que si un padre es obeso el hijo tendrá hasta un 50 % de probabilidades de serlo también.

Con todo, a pesar de las posibles causas que pueden motivar que una persona engorde, en la gran mayoría de los casos de obesidad existe un aporte excesivo de energía. Si bien es cierto que la genética determina en muchos casos que la gordura se herede, también lo es que si analizamos los hábitos dietéticos de los diferentes miembros de la familia, a menudo descubrimos que todos ellos comen en exceso. La costumbre familiar impera sobre cualquier otra norma.

Si necesitas adelgazar es importante que reflexiones, porque "el aire no engorda", así que, a no ser que sufras una enfermedad de tipo metabólico (que no es lo habitual), lo que es seguro es que estás consumiendo más calorías de las que tu cuerpo necesita.

La mayor causa de obesidad es la ingesta excesiva de calorías. Es cierto que algunas personas no comen cantidades enormes de comida y que sin embargo engordan, sí, pero no porque les engorde todo, sino porque suelen comer alimentos que tienen un contenido calórico muy elevado en comparación con el tamaño de las porciones.

A esto hay que sumar –la mayoría de las veces– que estas personas no practican ejercicio y que su actividad diaria es más bien sedentaria.

La falta de actividad física también es un factor importante que contribuye a engordar.

→ Si tienes que perder grasa es aconsejable que revises tus hábitos y que lleves un diario dietético, ya que aunque pensemos lo contrario la mayoría de las veces no somos conscientes de lo que comemos.

12. El diario dietético

El diario dietético es una herramienta que te puede resultar muy útil para determinar si te alimentas de forma correcta[19].

Apunta en tu diario todo lo que comes, a qué hora lo haces y en qué cantidad. Anota también los minutos de actividad física que realizas cada día y al final de la semana compara tus hábitos "reales" con la dieta equilibrada que te proponía en el capítulo 4. Seguramente comprobarás que no lo estás haciendo bien del todo y ese es el principio del cambio.

Sin embargo, es muy probable que no sepas valorar si algunos de los alimentos que tomas de forma habitual engordan o no, o si estás comiendo la cantidad de proteínas e hidratos de carbono que te conviene tomar. Recuerda que nunca debes eliminar alimentos de tu dieta de forma aleatoria, ya que todos –incluidas las grasas– son necesarios para mantener la salud. La clave está en la cantidad, ni demasiado ni muy poco.

---

[19] Busca el Diario dietético en el Anexo.

Tanto si necesitas adelgazar, como si simplemente quieres mejorar tu estilo de alimentación, mi consejo es que acudas a un especialista en Dietética para que te asesore, si es de los que te enseñan a comer en lugar de darte simplemente una dieta impresa mucho mejor.

13. Adicción a la comida

¿Has observado que sueles comer más de lo que se indica en una dieta equilibrada? Entonces sería bueno que respondieras a este test y que compruebes si tienes adicción a la comida. Aunque suene un poco raro son muchas las personas que tienen este problema.

TEST DE ADICCIÓN A LA COMIDA

1. Cuando pasan 1 o 2 horas después de haber comido, te comerías un helado, un trozo de tarta u otro tipo de postre.

2. Te resulta más difícil controlar tus comidas durante el resto del día el día que desayunas que cuando solo tomas un café o no desayunas.

3. Sientes cansancio y hambre a media tarde.

4. Cuando comes dulces, galletas, madalenas, etc., te cuesta parar, no te conformas solo con uno.

5. A veces, cuando terminas de comer, volverías a empezar porque te gusta mucho lo que has comido.

6. Cuando te aburres te da por comer.

7. Cuando quieres perder peso, te resulta más fácil no comer en todo el día que hacer varias comidas poco abundantes, como se te indica en la dieta.

8. Prefieres pasar de las verduras, la ensalada, el arroz y las pastas con tal de que te quepa el postre.

9. Cuando sientes frustración o tristeza buscas algo para picar.

10. Te produce nerviosismo ver comer a otros cuando tú no estás comiendo.

11. Cuando comes en un restaurante, comes tanta cantidad que luego te duele el estómago y a veces sientes náuseas.

12. A veces comes cuando nadie te ve, porque te avergüenzas de comer más que los demás.

13. El día que no tomas un aperitivo te parece que te falta algo. Sueles empezar la comida con un aperitivo.

14. Te encanta el "picoteo", las tapas y salir de copas o de cervezas.

15. En un restaurante, sueles pedir más comida de la que puedes comer.

16. Si las cosas no salen como tú quieres necesitas comer algo.

17. Aunque la comida sea abundante, la acompañas con pan y postre.

18. Aunque no puedas más, procuras comer todo el contenido del plato.

19. Te molesta mucho que los demás se dejen comida en el plato, por ello te comes lo que ellos dejan.

20. Después de terminar tu ración, pinchas de los platos de los demás.

21. Cuando comes mucho te sientes culpable.

22. Te cuesta mucho mantenerte en tu peso.

23. Es fácil que ganes 2 o 3 kilos en pocos días.

COMPRUEBA TUS RESPUESTAS

Si tus respuestas son en su mayoría afirmativas, indican que efectivamente tienes adicción a la comida.

Es aconsejable que visites a un psicólogo especialista en trastornos del comportamiento alimentario, para que te ayude a controlarte.

Un especialista en dietética te asesorará sobre los alimentos más aconsejables y las pautas que debes seguir.

14. Mejorar tu aspecto y tu salud es una cuestión mental

Si realmente necesitas adelgazar y has tomado la decisión de hacerlo vas a necesitar una gran dosis de fuerza de voluntad, puesto que vas a tener que cambiar algunos de tus hábitos.

Llenando tu mente de pensamientos negativos te será muy difícil conseguir tu meta. ¿Que a qué me refiero con esto? Pues a esa actitud de pensar que ¡vaya rollo, no poder comer esto o lo otro! Tienes que saber que *ERES LIBRE DE COMER LO QUE QUIERAS, porque nadie más que tú va a elegir qué llevarse a la boca.*

Puedes elegir seguir comiendo lo que comes, o puedes tomar la decisión de comer aquello que TE INTERESA comer para conseguir tu objetivo, y a partir de ahí todo es una cuestión de respeto con tu propia decisión, ni más ni menos. Da igual a cuántos especialistas acudas en busca de una dieta "diferente", porque *nadie más que tú tiene la llave de esa puerta que te conduce al cambio.*

Mentalizarte de forma positiva te puede ayudar mucho, para ello debes eliminar pensamientos como el que he citado antes y también todos los del tipo de "no puedo comer chocolate".

Imagina e inventa ricas ensaladas llenas de color que te atraigan a través de la vista, prepara postres con frutas jugosas que te inviten a comerlas, huele y saborea los guisos mientras reconoces lo rica y sabrosa que es la comida sana. Descubre que hay montones de recetas riquísimas que tienen muy pocas calorías.

Ponte metas cortas, felicítate cuando las consigas y anímate a seguir adelante, porque merece la pena.

Si un día caes en la tentación de comer algo que "no te interesa", no tires la toalla, ten espíritu deportivo y piensa que eres un corredor que está participando en un maratón campo a través y que antes de llegar al final tropezará con piedras, con raíces de árboles y otras cosas que dificultarán su carrera, pero que a pesar de los tropiezos seguirá adelante hasta llegar a la meta.

Y por favor, cuando hayas conseguido tu objetivo *QUIÉRETE MUCHO*, reconoce todo el esfuerzo que te ha costado llegar a estar así de bien y no te permitas volver a lo de antes, porque siempre es más fácil mantenerse que volver a empezar. Piensa que estás en tu puesto de trabajo, o si eres estudiante imagina que has hecho un trabajo que te ha llevado mucho tiempo y esfuerzo. ¿Permitirías que alguien arruinara tu labor de varios meses? No te lo permitas.

15. El hambre emocional

Muchas veces comemos sin tener necesidad, así que te sugiero que cada vez que sientas el impulso irrefrenable de tener que llevarte algo a la boca, mires el reloj. Si hace menos de 3 horas que comiste, lo más probable es que esa sensación de hambre no sea real, sino un producto del aburrimiento, o de la frustración, o de una sensación de falta de cariño, de algún enfado o de tu adicción a la comida. Cuando te ocurra esto párate un momento y analiza qué ha ocurrido antes de que tu mente te dijera que necesitabas comer y anótalo. Es posible que compruebes que siempre sucede la misma circunstancia o sentimiento antes de que sientas esa sensación de hambre irrefrenable que te impulsa a comer.

Una vez identificada la causa, procura resolver tus conflictos emocionales de otra forma. Haz una lista de todas aquellas cosas que te gusta hacer y con las que te sientes bien, y cuando sufras "hambre emocional" intenta desviar tu atención haciendo alguna de ellas, como dar un paseo, mirar escaparates, charlar con alguien o hacer un poco de ejercicio.

16. Cómo vencer la ansiedad

Vencer ese impulso de comer no es fácil, por eso vas a necesitar mucha fuerza de voluntad para que, una vez que hayas identificado las causas que te llevan a comer más de lo necesario, consigas dominarte.

Existen diferentes técnicas que te pueden ayudar a controlar la ansiedad, como:

El yoga
El taichí
Hacer ejercicio
Dar largos paseos centrando tu atención en lo que ves
Ir a clases de baile
La meditación
Los ejercicios de relajación

El día que no consigas controlar la tensión y la ansiedad prueba con el ejercicio que te propongo a continuación.

PRACTICA ESTE **EJERCICIO DE RELAJACIÓN**

1.   Procura situarte en una habitación silenciosa, con poca luz y, si puedes, pon una música suave.

2.   Túmbate boca arriba con el cuerpo estirado y relajado, con los brazos a los lados del cuerpo y las palmas hacia arriba.

O siéntate en una silla cómoda con la espalda recta, las piernas en un ángulo de 90 grados y las manos sobre los muslos.

3.   Cierra los ojos y respira 3 veces profundamente.

4.   Lleva tu atención a los pies y mientras respiras imagina que puedes llevar el aire hasta ellos. Sigue así durante un par de minutos y relaja los pies, siente cómo pesan, cómo se hunden en el suelo.

5.   Ahora lleva tu atención a las piernas e imagina que llevas el aire hasta ellas y las relajas. Siente su peso.

6.   Continúa haciendo lo mismo mientras vas subiendo, llevando tu atención y el aire desde la nariz hasta los muslos, los genitales, el abdomen, el estómago, los pulmones, el corazón, los hombros, los brazos, las manos, la cara y el cuero cabelludo.

7.   Ve relajando poco a poco todas las partes de tu cuerpo y sigue

respirando con calma, profundamente, sintiendo cómo pesan y cómo parece que se hunden.

8. Sigue respirando así y libera tu mente de cualquier pensamiento.

9. Imagina que abres una ventana a cada lado de tu cabeza y que por el lado izquierdo entra una corriente de aire que arrastra y saca por la ventana de la derecha todos los pensamientos que te rondan. Tu mente se queda vacía, relajada, totalmente en calma. Si no lo consigues, imagina que estás en un paisaje verde, con una vegetación exuberante, por donde discurre un río de aguas cristalinas bajo un cielo azul radiante. Te sientes feliz.

10. Disfruta de este estado de relajación durante todo el tiempo que te apetezca.

11. Cuando quieras volver al estado de actividad hazlo poco a poco. Bosteza profundamente y estírate. Empieza moviendo las manos y los pies y poco a poco el resto del cuerpo.

Sea cual sea el motivo de tu intranquilidad, después de realizar un ejercicio de relajación todo se ve mucho más fácil y desde una perspectiva mucho más calmada. ¡Pruébalo!

17. Consejos clave para adelgazar

1. Céntrate en lo que haces. Si estás comiendo, estás comiendo. Tienes que ser consciente de lo que estás haciendo, para darte cuenta de qué comes y en qué cantidad. Es muy importante. Por lo tanto, no comas delante del televisor o leyendo revistas, porque sin darte cuenta vas a ingerir muchas más calorías de las que te convienen.

2. Sírvete un plato y deja el resto fuera de tu vista, para que no tengas la tentación de repetir. No comas en la cocina, porque es muy fácil que te levantes a buscar queso, fiambres o cualquier otra cosa. Una ración es una ración[20], y no necesitas comer más.

3. Come con elegancia. Imagina que estás comiendo en un restaurante

---

[20] Ver Tabla de raciones en página 61.

de lujo. ¿Cómo comerías? ¿Verdad que no te atiborrarías de comida? Pon un mantel bonito, decora la mesa y come como lo harías si estuvieras en presencia de alguien a quien quisieras seducir. Corta la comida en trozos pequeños, introduce poca cantidad en la boca cada vez y mastica muy bien antes de tragar. Saborea cada bocado, siente la textura de la comida, no la engullas, y "no pinches de la fuente ni de los platos de los demás". ¡Sé elegante!

4. Reduce la cantidad de comida que ingieres y sustituye los alimentos de Índice Glucémico (IG) elevado –glúcidos de absorción rápida- por otros de absorción lenta[21].

5. Elimina de tu dieta los refrescos, el alcohol, los aperitivos y la bollería. Solo con eso puedes adelgazar casi medio kilo a la semana.

6. Muévete mucho. La actividad física adelgaza, así es que ve andando al trabajo, utiliza las escaleras, da largos paseos a paso rápido, monta en bicicleta, apúntate a clases de baile, a hacer senderismo…Si haces ejercicio no solo perderás grasa, sino que además estarás de mejor humor.

7. Haz 5 comidas al día. Empieza tus comidas con una gran ensalada o un plato de verduras y no olvides tomar proteínas (carne, pescado o huevos) 2 o 3 veces al día.

8. Pon las tentaciones fuera de tu vista. En tu despensa y en tu frigorífico no debe haber alimentos tentadores a la altura de tus ojos. Procura que estén en recipientes cerrados o bien envueltos en estantes más bajos o más altos.

9. Si entre comidas no puedes resistir sin comer nada, opta por: un zumo de tomate, una zanahoria, berberechos, un poco de jamón o unas aceitunas.

10.Pasa de los dulces y prepárate postres a base de frutas y gelatina, que tienen menos calorías.

---

[21] El Índice Glucémico de los alimentos se explica en el capítulo 10.8, página 125.

18. Terapias contra la obesidad y el sobrepeso

La dieta hipocalórica

Es la terapia de adelgazamiento más conocida. Casi todo el mundo ha hecho alguna dieta de esas que aparecen en las revistas, como "la dieta disociada", "la dieta de la Clínica Mayo", "la dieta del pomelo", "la de los astronautas", "la dieta del tomate", "la de la alcachofa" o "la de la piña", podríamos citar mil y una dietas cuyo único punto en común es que se comen menos calorías de las que se queman. Sí, esa es su extraordinaria y única cualidad milagrosa que consigue que aquellos que las siguen adelgacen de forma rápida. Desde luego están muy lejos de ser dietas equilibradas que aporten los nutrientes necesarios para mantener la salud, y sus efectos suelen ser muy efímeros, apenas durarán unos días. Por lo tanto, antes de hacer una dieta de esas sería bueno que te plantearas si merece la pena el esfuerzo que vas a realizar. Yo creo que no.

La dieta hipocalórica personalizada

Es una dieta que te aporta menos calorías de las que quemas, pero que además va a tener en cuenta tus características personales. Este tipo de dietas las elaboran los especialistas en Dietética, son dietas equilibradas que aportan todos los nutrientes y que no solo te ayudan a adelgazar de forma correcta, sino que además mejoran tu estado de salud, porque tienen en cuenta y corrigen los pequeños o grandes problemas de colesterol, triglicéridos, ácido úrico, glucosa, etc., que suelen padecer las personas con exceso de peso. Pregunta a tu dietista cualquier duda que tengas. Si sigues al pie de la letra lo que te indique, en poco tiempo verás los resultados. Adelgazarás y se equilibrarán todos los niveles que tuvieras descompensados. Si eres constante los efectos de esta dieta serán muy duraderos.

Adelgazar con pastillas

No te engañes, las pastillas no adelgazan. Ningún producto adelgazante que puedas comprar en el supermercado, en la parafarmacia o en cualquier tienda especializada funciona. No funcionan porque no existe nada que pueda adelgazarte de forma milagrosa, salvo algunas drogas muy peligrosas que consiguen activar el metabolismo, pero que tienen muchas contraindicaciones, son adictivas y pueden causar problemas muy importantes de salud.

La publicidad está destinada a vender, así es que es lógico que prometa maravillas. Los anuncios te animan a tomar laxantes, diuréticos, preparados a base de plantas, cápsulas para eliminar la grasa…, parece que en pocos días te vas a convertir en esa persona guapísima que aparece en el anuncio, cualquier cosa se convierte en milagrosa cuando se trata de hacer fortuna, pero no malgastes tu dinero porque la mayoría de las veces lo único que vas a obtener es cierto efecto saciante que también podrías conseguir comiendo verduras y productos integrales, que son mucho más sanos y que de paso te aportan vitaminas y minerales. ¿Has observado que en todos esos productos te dicen que "los resultados son evidentes cuando se acompañan de una dieta adecuada"? Lo único que realmente funciona es reducir el consumo de calorías y hacer ejercicio.

Los laxantes solo eliminan el contenido del intestino –no disuelven la grasa de los tejidos–, los diuréticos hacen que elimines líquidos, pero en ningún caso te liberan de la grasa, por lo tanto, ni unos ni otros adelgazan y además no son nada recomendables. Los productos que dicen que te ayudan a asimilar menos grasas producen diarreas muy desagradables y los que dicen que "queman la grasa", o bien no funcionan, o son muy peligrosos[22].

→ A no ser que tu médico te recete un medicamento específico para tu caso concreto no tomes preparados de ningún tipo. Incluso los productos naturales, que se elaboran a base de hierbas, pueden producir efectos secundarios en dosis altas.

La cirugía
Los casos más graves de obesidad, los de obesidad mórbida –que de no ser tratados acabarían produciendo una muerte prematura–, pueden ser tratados con cirugía.

Las intervenciones que se realizan a estos pacientes tienen la finalidad de reducir la capacidad del estómago, ya sea mediante la colocación de una banda o de una anilla que oprime el estómago, colocando un balón intragástrico o seccionando parte del estómago. Además de la intervención es necesario que el paciente siga una dieta y que adquiera nuevos hábitos en su alimentación, ya que su estómago ya no admitirá las cantidades de comida que ingería anteriormente.

---

[22] Fuente: Academia Estadounidense de Médicos de Familia.

19. Cómo "aligerar" las recetas tradicionales

Restar calorías a tu alimentación habitual es muy fácil, tan solo tienes que hacer ligeras modificaciones en los platos que cocinas o pedirle a la persona que los realiza que lo haga para ti.

Hay que reducir al máximo la utilización del aceite en la cocina y en la mesa. Cuando cocines no utilices la aceitera, vas a ahorrar mucho aceite usando en su lugar un espray de aceite y además consumirás menos calorías. Usa el espray para embadurnar el fondo de la sartén o de la bandeja del horno, para aderezar verduras, para pintar las carnes, pollos y pescados, para las patatas... para todo lo que necesite aceite. Con un poco es suficiente.

Utiliza sartenes antiadherentes, que necesitan muy poco aceite.

Recorta siempre con unas tijeras (antes de cocinarlo) el tocino del jamón y *la grasa visible de la carne y del pollo.*

Quita la piel de las aves antes de cocinarlas.

ALIGERA TUS RECETAS ASÍ:

Arroz con leche: Utiliza leche desnatada en lugar de leche entera y sacarina en vez de azúcar.

Caldos para sopas o consomés: Déjalo en el frigorífico durante unas horas antes de consumirlo y antes de volver a calentarlo, quítale la capa blanca de grasa que se ha formado en la superficie.

Carne: Elige carnes magras, que no tengan grasa. Quita la grasa visible con unas tijeras y cocínala a la plancha.

Cenas: Un plato de verdura hervida con un filete de carne, o de pechuga de pollo, o un pescado o una tortilla con un poco de queso fresco o una fruta. Y ¡ya tienes una cena perfecta!

Costrones de pan frito: Tuesta el pan en lugar de freírlo.

Croquetas: Utiliza leche desnatada en vez de leche entera y en lugar de freirlas, hornéalas.

Desayunos y meriendas: Sustituye la bollería por pan con tomate y queso fresco o con jamón sin tocino. Come fruta en vez de chocolate e infusiones en lugar de refrescos.

Dulces: Procura utilizar menos cantidad de grasa y sustituye el azúcar por sacarina.

Ensaladas: Están sabrosísimas solo con sal, pero si necesitas más sabor alíñalas con limón, vinagre o yogur desnatado de limón. Olvídate del aceite.

Ensaladilla: Reduce la cantidad de patata y añade en su lugar judías verdes y zanahoria. Sustituye la mitad de la mayonesa por yogur desnatado de limón. El atún debe ser "al natural", sin aceite.

Flanes y budines: Utiliza leche desnatada en lugar de leche entera y sacarina en vez de azúcar.

Guisos: Mide la cantidad de aceite, no más de una cucharada por persona. Elimina el tocino, quita la grasa de la carne y del pollo con unas tijeras, elimina la piel del pollo.

Hamburguesa: Haz tú las hamburguesas con carne magra de cerdo. Pide en la carnicería que le quiten toda la grasa antes de picarla.

Huevos fritos: Los huevos fritos están estupendo hechos a la plancha, con solo una cucharada de aceite.

Mayonesa: Añade yogur desnatado de limón a partes iguales.

Natillas: Utiliza leche desnatada en lugar de leche entera y sacarina en vez de azúcar.

Paella: Reduce la cantidad de aceite a solo una cucharada por persona, mídelo. Retira la piel y toda la grasa del pollo o de la carne con unas tijeras antes de cocinarlo.

Palomitas: Utiliza para hacerlas un palomitón de aire caliente, que no utiliza aceite.

Pastas: Al elaborar las salsas reduce la cantidad de aceite que utilizas, sustituye el bacón por jamón sin tocino, la nata por leche desnatada y el queso habitual por queso bajo en grasa.

Pisto: Hazlo tapado, a fuego lento, en una sartén antiadherente de fondo grueso y con muy poco aceite.

Pizza: Cubre la masa con tomate natural rallado en vez de tomate frito, ponle verduras, champiñones, jamón o atún al natural en vez de salchichón o bacón y, por encima, queso bajo en grasa.

Pollo: Quítale la piel y toda la grasa con unas tijeras antes de cocinarlo. En las recetas reduce la cantidad de aceite a solo una cucharada por persona.

Tortilla de patata: Puedes cocer un poco las patatas antes de freirlas, para que no absorban tanto aceite.

Y ADEMÁS:

Procura utilizar técnicas culinarias que no necesiten grasa: al vapor, a la plancha, hervidos o asados sin grasa.

No añadas a tus platos calorías innecesarias (aceite, chorizo, bacón, queso, nata…).

Reduce, o mejor aún, elimina la bollería, galletas, postres lácteos, dulces, chocolate, refrescos azucarados y bebidas alcohólicas de tu alimentación habitual.

Fíjate y compara la cantidad de calorías que aportan algunos alimentos:

ALIMENTO	Kcal por 100 g de alimento
Huevo	155
Clara de huevo	53
Yema de huevo	352
Leche de vaca	68
Leche condensada	348
Mantequilla	718
Nata	362
Quesos (según grasa)	190 a 420
Yogur	62
Azúcar	401
Caramelos	397
Chocolate	558
Miel	328

Kcal de las

BEBIDAS ALCOHÓLICAS

Cerveza	1 vaso de 200 ml	95 kcal
Champagne	1 copa 150 ml	69 kcal
Jerez	1 copa 150 ml	131 kcal
Chupito (35 °)	1 vasito	195 kcal
Ron	1 copa	125 kcal
Vino Blanco	1 vaso 150 ml	87 kcal
Vino tinto	1 vaso 150 ml	72 kcal
Whiskey	1 copa	294 kcal
Vodka	1 copa 70 ml	85 kcal

20. ¿Necesitas engordar?

No todos los que no están en su peso correcto necesitan adelgazar, a veces para estar bien es necesario coger algún kilo. Si el médico te ha dicho que no tienes ningún problema metabólico, necesitas engordar y no sabes bien por qué no engordas comiendo lo que comes, te sugiero que hagas lo mismo que aquellos que necesitan adelgazar[23], *utiliza el diario dietético para anotar todo lo que comes, a qué hora lo haces y en qué cantidades*. Anota también el ejercicio físico que realizas. Al final de la semana revisa tus ingestas y las calorías que has quemado y seguramente comprobarás que tu dieta no es todo lo completa que debería ser y que faltan calorías en tu alimentación diaria.

No te obsesiones contando calorías, simplemente acude a un especialista en dietética para que te ayude a revisar tus hábitos y a cambiar aquello que sea necesario modificar. Enseguida notarás el cambio.

21. Para aumentar de peso

De la misma forma que para adelgazar es necesario reducir las calorías de la dieta, para engordar es preciso hacer todo lo contrario.

1. *Haz 5 o 6 comidas al día*, respetando siempre los mismos horarios:

> A las 8:00 h desayuno
> 11:00 h almuerzo
> 14:00 o 15.00 comida
> 18:30 merienda
> 21:00 cena
> "X" antes de dormir

El día que no te apetezca levantarte temprano te levantas a desayunar y vuelves a la cama, pero no dejes de desayunar.

2. *No te saltes ninguna comida*, es importante.

3. *Procura reposar la comida*, no salgas corriendo nada más comer. Organízate de manera que puedas descansar un rato.

4. Tienes que *dormir un mínimo de 8 horas por la noche* y cuando puedas también *un rato de siesta*.

5. 15 minutos *después de la comida* del mediodía *toma una infusión o un descafeinado, acompañado de galletas, chocolate o algún postre dulce*.

---

[23] Ver puntos 11 y 12 de este capítulo, páginas 101 y 102.

6. Es conveniente que hagas *un poco de ejercicio todos los días*.

7. *Anota todo lo que comes* y a qué hora.

8. *Si un día te duele el estómago, come cosas suaves*: yogur, hervidos, pechuga a la plancha, no zumos, ni fritos, ni bollería.

9. Para aumentar las calorías de tu dieta *"engorda" tus platos* de la siguiente manera:

> Añade a tus comidas queso rallado, quesitos, picatostes de pan frito, frutos secos, mayonesa, tomate frito, rehoga las verduras con aceite, ajo y jamón. Elige preparaciones que lleven salsas y "mójalas" con pan.

10. *Y no renuncies nunca al postre*.

Si a pesar de todo, no sabes por dónde empezar guíate por el siguiente menú.

TU MENÚ DIARIO DEBE CONTENER:

● **3 raciones de lácteos/día**
→ *1 ración de lácteos es:*
1 vaso de leche
2 yogures
4 trozos de queso fresco
2 trozos de queso curado o 2 cdas. de queso rallado
2 quesitos

● **2 o 3 raciones de proteínas/día**
→ *1 ración de alimento proteico es:*
1 filete de ternera
2 filetes de cerdo
1 filete de pechuga o un trozo grandecito de pollo
2 lonchas de jamón o salmón ahumado
2 huevos
1 rodaja de salmón
1 lenguado mediano o cualquier otro pescado

6 o 7 rodajas de salchichón o chorizo

- **2 raciones de arroz, pasta italiana, legumbres o patatas/día**
  → *1 plato mediano = 1 ración*

- **3 raciones de pan o cereales al día**
  → *1 bocadillo o 1 bol = 1 ración*

- **2 o 3 frutas/día**
  → *1 fruta = ½ vaso de zumo o 2 cucharadas de mermelada*

- **2 platos de verdura/día**
  → *1 ensalada + 1 plato de verdura cocinada*

- **Usa siempre aceite de oliva para cocinar o aliñar**

A LA SEMANA DEBES COMER

2 o 3 veces arroz
2 o 3 veces pasta
2 o 3 veces legumbres
2 o 3 veces patatas
2 o 3 veces pescado

UN POCO de ejercicio también te ayudará a mejorar tu aspecto. ¡Pero cuidado! No se trata de que te mates en el gimnasio, ni mucho menos, sino de nadar un poco, caminar o hacer una serie de ejercicios con mancuernas, ejercicios suaves que te pueden aportar tono muscular, con lo que pesarás un poco más, aumentará tu resistencia y además te verás mejor ante el espejo.

Capítulo 10
¿SABES QUÉ ES, O PARA QUÉ SIRVE ?

1. Probióticos y prebióticos

Estos dos conceptos consiguieron entrar en nuestra cesta de la compra a través de la publicidad y son muchas las personas que los compran porque se dice que son saludables, pero pocos saben lo que son, si realmente son necesarios o si son tan beneficiosos como para merecer que hagamos un mayor desembolso a la hora de pagar la compra.

Ambos se consideran alimentos "funcionales"[24].

Los prebióticos *son sustancias no digeribles* que en potencia tienen la capacidad de favorecer el crecimiento de bacterias intestinales beneficiosas.

Los dos prebióticos más estudiados son la inulina y los FOS o fructo-oligosacáridos, que son dos carbohidratos que se encuentran en alimentos vegetales como el ajo, la cebolla, el puerro, las alcachofas, los espárragos, los tomates, los plátanos, etc.

Entonces, si los alimentos ya los contienen, ¿para qué consumir productos enriquecidos en estas sustancias? En principio se razona este consumo adicional argumentando que pocas personas consumen a través de su dieta habitual las cantidades recomendadas.

---

[24] En el punto 4 de este capítulo se explica qué son los alimentos funcionales.

Los probióticos *son alimentos* –yogures, leches fermentadas y bebidas enriquecidas– que contienen microorganismos vivos que producen un beneficio en la flora intestinal porque facilitan el desarrollo de bacterias beneficiosas: lactobacilus acidófilus y bífidus.

No son necesarios, no se trata de fármacos ni tienen el mismo efecto en todas las personas.

Una dieta variada y equilibrada suele aportar los mismos beneficios que este tipo de productos.

Sin embargo, pueden resultar una "ayuda" útil en casos de:

Digestiones pesadas e hinchazón abdominal, gases.
Intolerancias y alergias alimentarias.
Diarrea.
Enfermedad de Crohn y colitis ulcerosa.
Estreñimiento y gases.
Riesgo cardiovascular y diabetes.
En tratamientos con antibióticos ayudan a conservar el equilibrio de la flora intestinal.

Estimulan las defensas, mejoran la digestión y tienen las mismas propiedades que la fibra.

2. Lactobacilus

Los lactobacilus son bacterias beneficiosas que contienen algunos alimentos probióticos como las leches fermentadas, los yogures y los quesos fermentados.

Su función principal es la de preservar la flora intestinal (conjunto de bacterias benéficas que residen en el intestino y que son necesarias para su buen funcionamiento y equilibrio), estimulan y regulan el sistema inmunológico, fermentan residuos de alimentos y actúan de barrera frente a bacterias dañinas para el organismo.

3. Bífidus

Igual que los Lactobacilus se encuentran en productos lácteos y tienen propiedades beneficiosas para la flora intestinal.

4. Los alimentos funcionales

Son alimentos que destacan por sus cualidades nutricionales y además nos aportan algún beneficio adicional.

La compra de este tipo de alimentos está creciendo a pasos agigantados en los últimos años gracias a la publicidad, que les atribuye virtudes casi milagrosas.

Los alimentos funcionales son solo eso, "alimentos" –no son pastillas, aunque muchos de ellos han sido enriquecidos con diferentes sustancias–, y deben demostrar sus efectos en las cantidades que se consideran normales para su consumo en la dieta, ya que forman parte de los hábitos alimenticios normales, por ejemplo el betacaroteno de las zanahorias, que es un antioxidante que neutraliza los radicales libres y mantiene las células en buen estado[25].

5. Los radicales libres

En los últimos años no dejan de publicarse trabajos sobre los radicales libres. La publicidad nos hace llegar estas dos palabras en anuncios sobre alimentos, cremas de belleza, suplementos nutricionales y preparados farmacéuticos que los combaten. Estamos familiarizados con ellos, pero ¿sabemos qué son y por qué son tan perjudiciales?

Los radicales libres son el producto de la oxidación de las moléculas.

Se producen durante el proceso de la digestión (igual que las cenizas que quedan después de quemar un trozo de leña) y por otros múltiples motivos. Esta da como resultado moléculas oxidación "desequilibradas", que son muy reactivas y que "queman todo lo que tocan". Actúan como antorchas para los tejidos del cuerpo.

[25] Ver tabla de alimentos funcionales en Anexo.

Los radicales libres están en el origen de la mayoría de las enfermedades degenerativas –cáncer, enfermedades cardiovasculares, artritis, afecciones inmunitarias, cataratas, etc.–, por lo que su descubrimiento ha sido uno de los más importantes del siglo XX.

Se producen por muy diversos motivos, como:

La combustión de los alimentos

Los rayos solares

El ozono

El consumo de tabaco

El alcohol

El consumo de medicamentos

Las dietas altas en azúcar

Alimentos demasiado cocinados

El uso de pesticidas

El ejercicio físico demasiado intenso

Los metales tóxicos

Virus, bacterias, parásitos, traumatismos

El estrés

→ *Se combaten con antioxidantes.*

6. Antioxidantes

Los antioxidantes son unas sustancias que contienen algunos alimentos y que *nos protegen de los radicales libres*.

Los antioxidantes combaten la degeneración y muerte de las células, que se produce por la acción de los radicales libres.

Nos ayudan a mantener la salud y a no contraer enfermedades degenerativas.

Retrasan el proceso de envejecimiento.

Puesto que nuestro cuerpo es incapaz de neutralizar los radicales libres a los que nos exponemos diariamente, necesitamos recurrir a los alimentos que los contienen.

PRINCIPALES ANTIOXIDANTES Y ALIMENTOS QUE LOS CONTIENEN

VITAMINAS:
Vitamina C: se encuentra en frutas frescas y verduras crudas, como kiwi, mango, piña, caqui, cítricos, melón, tomate, pimiento, frutas y hortalizas en general (patatas y boniatos).

Vitamina E: se encuentra en el germen de trigo, aceite de soja, germen de cereales de grano entero, aceite de oliva, vegetales de hoja verde y frutos secos.

Vitamina A: y su provitamina, el betacaroteno se encuentran en: todas las verduras de color verde o rojo, anaranjado y amarillo zanahoria: espinacas, calabaza, tomate, pimiento y frutas como cerezas, melón, albaricoque y melocotón.

MINERALES:
Selenio: se encuentra en carnes, pescados, mariscos, cereales y huevos.

Zinc: se encuentra en carnes, vísceras, cereales completos, huevos y legumbres.

Cobre: se encuentra en hígado, pescado, mariscos, cereales completos y legumbres.

AMINOÁCIDOS:
Cisteína: Se encuentra en carnes, pescados, huevos y lácteos. Es importante para la producción de enzimas que ayudan a combatir los radicales libres.

OTRAS SUSTANCIAS VEGETALES:
Flavonoides: están presentes en vegetales y protegen el sistema cardiovascular. Se encuentran en las verduras de hoja verde, las frutas rojas y moradas y en los cítricos.

Isoflavonas: se encuentran en la soja y en algunos de sus derivados como el tofu.

Ácido alfa-lipoico: ayuda a neutralizar los efectos de los radicales libres y potencia las funciones antioxidantes de las vitaminas C y D. Es abundante en el tomate.

Coenzima Q: se encuentra en carnes, vísceras, pescado, sardinas y cacao.

→ *Para asegurar el aporte diario de antioxidantes es conveniente seguir una alimentación variada y equilibrada, en la que no falten los alimentos de origen vegetal.*

7. Omega 3 y 6

Son dos tipos de grasas poliinsaturadas (las mejores).

Como ya sabemos, las grasas están formadas en su mayoría por ácidos grasos, entre los que se encuentran los omega, que se denominan "esenciales" porque nuestro cuerpo no es capaz de fabricarlos. Por esta razón debemos ingerirlos a través de los alimentos que los contienen.

Los ácidos grasos omega 3 son beneficiosos para el corazón porque impiden que el colesterol se deposite en las arterias.

Mejoran la agudeza visual y el desarrollo de la retina y del sistema nervioso en los niños.

Pueden provenir de diversas fuentes:

Algunos aceites vegetales de semillas como el de colza y el de linaza.

El pescado azul, como el salmón, atún, arenque, caballa, boquerones o bonito, por lo que es aconsejable comer pescado azul una o dos veces a la semana.

El marisco, mejillones, ostras, berberechos, etc.

Los ácidos grasos omega 6 reducen los dos tipos de colesterol y se encuentran en aceites de maíz y de girasol.

8. El índice glucémico de los alimentos

Cuando comemos un alimento rico en hidratos de carbono[26] los niveles de glucosa en sangre se incrementan a medida que vamos digiriendo y asimilando sus azúcares y almidones.

El Índice Glucémico es la velocidad a la que se realiza el proceso de digestión y asimilación de un alimento y el incremento de glucosa que produce en la sangre.

Para que lo entiendas fácilmente, podríamos decir que *es el "subidón" de glucosa que produce un alimento al comerlo* y se mide en función de la velocidad a la que se absorbe.

Comer alimentos con IG elevado puede ser útil en momentos puntuales en los que se vaya a realizar un ejercicio físico intenso y corto –como una carrera–, o cuando se sufre una hipoglucemia[27].

Los alimentos con IG bajo son útiles, en cambio, cuando la actividad física va a ser prolongada, cuando se desea adelgazar o si se padece diabetes.[28]

La velocidad de absorción o IG (índice glucémico) depende de los nutrientes que componen el alimento, de su contenido en fibra y también del resto de los alimentos que comparten digestión con él en el estómago.

El procesado del alimento y la forma en que se cocina también son factores que modifican su IG, por ejemplo, los granos de trigo enteros son difíciles de digerir, mientras que una vez molidos y horneados se digieren con facilidad.

Por lo general, los glúcidos son los que tienen los índices más elevados, sin embargo, los que contienen fibra –integrales– tienen un IG menor que los refinados. Por ejemplo: el pan integral tiene un IG de 45, mientras que el IG del pan blanco es de 60.

---

[26] Ver "¿Para qué sirven los hidratos de carbono?" en página 22.
[27] Cantidad anormalmente baja de glucosa en sangre. Ver Capítulo 12.10, página 151.
[28] Datos extraídos de www.uned.es

Los alimentos proteicos tienen un IG = 0, las grasas también tienen IG = 0, y la mayoría de las verduras lo tienen muy bajo.

Para reducir el IG de un alimento, podemos combinarlo con otro de IG más bajo o con fibra, así podemos usar alimentos como la avena, la manzana y las legumbres, que contienen fibra soluble, para espesar y ralentizar el paso de los alimentos por el tracto digestivo.

A pesar de que los glúcidos tienen los IG más altos, lo más habitual es que no se consuman solos, ya que el pan, la pasta, las patatas o el arroz suelen combinarse con mantequilla, aceite, carnes, pescados o verduras y estas combinaciones ralentizan su digestión y reducen de forma significativa el Índice Glucémico Total de la comida.

Por lo tanto, cuando se desea reducir la carga glucémica total de una dieta (por ejemplo en la diabetes), puede ser suficiente con aumentar el consumo de alimentos con IG bajo, o combinar alimentos con índices más elevados con otros de menor índice, como cereales integrales, pan integral, fibra de salvado o legumbres y verduras.

ÍNDICES GLUCÉMICOS DE LOS PRINCIPALES ALIMENTOS

110	Maltosa
100	GLUCOSA
92	Zanahorias cocidas
87	Miel
80	Puré de patatas instantáneo
80	Maíz en copos
72	Arroz blanco
70	Patatas cocidas
69	Pan blanco
68	Barritas Mars
67	Sémola de trigo
66	Muesli suizo
66	Arroz integral
64	Pasas
64	Remolachas
62	Plátanos
59	Azúcar blanco, sacarosa

59	Maíz dulce
59	Pasteles
51	Guisantes verdes
51	Patatas fritas
51	Boniatos
50	Espaguetis de harina refinada
45	Uvas
42	Pan de centeno integral
42	Espaguetis de trigo integral
40	Naranjas
39	Manzanas
38	Tomates
36	Helados
36	Garbanzos
36	Yogur
34	Peras
34	Leche entera
32	Leche desnatada
29	Judías
29	Lentejas
28	Salchichas
26	Melocotones
26	Pomelo
25	Ciruelas
23	Cerezas
20	Fructosa (azúcar de las frutas)
15	Soja
13	Cacahuetes

→ Los alimentos con IG elevado pueden ocasionar problemas cuando se consumen solos, ya que al aumentar los niveles de glucosa en sangre segregamos insulina para que esa glucosa entre en las células.

La glucosa que las células no necesitan quemar en ese momento se almacena en parte como glucógeno[29], pero cuando los músculos y el hígado están saturados de glucógeno, esa glucosa que nos sobra se convierte en grasa. Este mecanismo de supervivencia, que se encuentra programado en

---

[29] Ver capítulo 1.13, página 24.

nuestro código genético y que supone una reserva importante de energía para los periodos de escasez de alimentos, se convierte en un problema importante en las sociedades desarrolladas –en las que no existen periodos de hambre–, ya que esas reservas nunca se consumen y vamos acumulando grasa hasta convertirnos en obesos.

La descarga de insulina que se produce cuando tomamos glúcidos con IG elevado consigue que el azúcar abandone el torrente sanguíneo y cuando pasan dos o tres horas de haber comido el nivel de azúcar en sangre cae por debajo de lo normal. Entonces se produce una hipoglucemia que hace que sintamos la necesidad de engullir todo lo que se nos ponga por delante.

Si volvemos a saciar el hambre con carbohidratos de absorción rápida se volverá a producir otra descarga de insulina y todo el proceso se repetirá, entrando en un círculo vicioso difícil de parar. Este sistema se utiliza para engordar al ganado, por lo tanto *cuando se desea adelgazar es necesario elegir alimentos con IG bajo.*

9. Las grasas "trans"

Algunos productos, como la margarina, están elaborados con aceites vegetales y sin embargo son sólidos. Para conseguir que el aceite sea sólido y untable, se le somete a un proceso de hidrogenación. Si lees la etiqueta de la margarina, de los dulces y la bollería de tipo industrial, verás que entre otros ingredientes contienen "grasas vegetales hidrogenadas".

Este tipo de grasas –a las que se ha añadido hidrógeno– son las *llamadas "trans", porque pasan de ser grasas insaturadas a convertirse en grasas saturadas*, que como sabes no son nada recomendables para la salud porque elevan los niveles de colesterol LDL.

10. Las isoflavonas

Se aconsejan a las mujeres mayores de 40 años, como tratamiento alternativo de la terapia hormonal sustitutiva, ya que esta tiene muchos efectos secundarios.

Las isoflavonas pertenecen al grupo de los fitoestrógenos, que *son unas sustancias que contienen los vegetales* y que adquieren concentraciones elevadas en las legumbres y, *sobre todo*, en *la soja*.

La ingesta de suplementos de isoflavonas o de una dieta rica en soja se ha sugerido después de que diversos estudios constataran que las mujeres asiáticas –que consumen soja en su dieta diaria– tienen una incidencia de síntomas menopáusicos muy inferior a la de las mujeres occidentales.

Según los científicos, las isoflavonas de la soja:

Reducen los sofocos
Previenen la osteoporosis
Reducen el colesterol y previenen enfermedades cardiovasculares
Reducen la incidencia de cáncer de mama.

→ *½ litro de leche de soja o 140 g de tofu cubren la dosis diaria recomendada de isoflavonas durante la menopausia.*

11. Los esteroles

Los esteroles vegetales son sustancias naturales que se encuentran en algunos alimentos de consumo diario, como las frutas, las verduras, los frutos secos, los cereales, las legumbres y algunos aceites (oliva, girasol).

Tanto los esteroles como los estanoles vegetales –llamados también fitoesteroles y fitoestanoles– *reducen la absorción de colesterol en sangre* porque inhiben de manera parcial la absorción del colesterol en el intestino. Estas sustancias tienen una estructura química similar a la del colesterol, por lo que cuando tomamos alimentos que contienen esteroles, nuestro intestino los absorbe en lugar de parte del colesterol. El colesterol no absorbido se elimina junto con los esteroles vegetales a través de las heces.

La alimentación occidental no aporta suficientes esteroles vegetales como para que ejerzan un efecto terapéutico de reducción del colesterol, por lo que algunas empresas de alimentación han lanzado el mercado productos enriquecidos con esteroles en cantidad suficiente como para ayudar a reducirlo.

Es importante leer la etiqueta del producto y no consumir en un día una cantidad mayor de la que se indica.

12. Los transgénicos

Los alimentos transgénicos, u Organismos Manipulados Genéticamente (OMG), *son aquellos a los que se les ha insertado un gen que no contenían de forma natural*, es decir, que son organismos nuevos creados en laboratorio.

Los transgénicos han surgido como una necesidad de crear cultivos que resistan a las plagas, o que resistan a los tratamientos con pesticidas, o para acelerar la maduración o para todo lo contrario, para que las frutas y las verduras aguanten más tiempo sin estropearse.

Los resultados de la manipulación genética de los alimentos son positivos para las compañías que los cosechan, pero aún está en entredicho la seguridad que estos productos creados en laboratorio ofrecen al consumidor, ya que se desconocen los riesgos sanitarios que su consumo puede tener a la larga en el ser humano.

13. Los triglicéridos

Los triglicéridos son un tipo de lípidos o *grasas que se encuentran en nuestra sangre y que utilizamos como fuente de energía.*

En parte los fabrica nuestro organismo a través de la digestión de los azúcares y otros los ingerimos a través de los alimentos.

La mayoría de los hidratos de carbono que consumimos son triglicéridos.

En cantidad adecuada los triglicéridos *son indispensables* para el mantenimiento de una buena salud.

El recuento de triglicéridos se suele incluir en los análisis de sangre cuando se quiere saber si los niveles de colesterol están dentro de los límites normales, ya que las personas que tienen niveles altos de triglicéridos también suelen tener el colesterol elevado.

Los niveles altos de triglicéridos se asocian con enfermedades coronarias prematuras que acaban produciendo infarto de miocardio en hombres menores de 55 años y en mujeres menores de 66.

Cuando los triglicéridos están elevados suele deberse a:

Un exceso de peso u obesidad

A que se consumen demasiados hidratos de carbono

A la falta de actividad física

Al consumo de alcohol

Capítulo 11
MITOS, ERRORES Y DUDAS

1. El pan engorda

El pan NO engorda. Lo que engorda son los alimentos con los que lo acompañamos, como el paté, la sobrasada, la mantequilla, los embutidos o las salsas en las que lo mojamos.

2. El agua engorda

El agua NO engorda, ni antes, ni durante, ni después de las comidas. El agua y las infusiones tienen 0 calorías. Teniendo en cuenta que los alimentos nos engordan en función de las calorías que contienen es fácil deducir que el agua no engorda nada de nada.

3. Las palomitas engordan mucho

Las palomitas son una fuente excelente de hidratos de carbono y engordan muy POCO en comparación con otros alimentos, ya que se elaboran exclusivamente con maíz. Las que contienen aceite pueden engordar un poco más, por lo que si deseas adelgazar sería preferible que las hicieras en un palomitón de aire caliente. Las palomitas que se cocinan así tienen solamente 34 kcal por taza y mucha fibra, que requiere una masticación larga y produce saciedad.

4. Las patatas engordan

Las patatas contienen solamente 75 calorías por 100 g, por lo tanto NO engordan por sí mismas, sino por los alimentos con los que las acompañamos o por la forma en que las cocinamos. Si se cocinan al vapor o cocidas mantienen el valor calórico de la patata, en cambio, si se hacen fritas absorben gran cantidad de aceite y pasan a contener alrededor de 500 calorías.

Las patatas engordan cuando se comen fritas, acompañadas de mayonesa, con queso, con nata, con fiambres, mantequillas o con otras salsas ricas en calorías.

5. La pasta engorda

NO es cierto que la pasta engorde. Por sí misma, la pasta es un alimento hidrocarbonado y no contiene muchas calorías. Lo que engorda son las salsas y el queso que le añadimos a la pasta, así que si reducimos la grasa de la salsa y utilizamos queso bajo en calorías rebajaremos mucho las calorías del plato final.

6. Los biscotes y los colines adelgazan

NO es cierto que el pan tostado, los colines y las rosquillas adelgacen. El pan sigue siendo pan sea cual sea la forma que se le dé y la cantidad de calorías que contiene depende únicamente del peso. Si tenemos en cuenta que en el pan tostado el peso se reduce, porque al tostarlo se elimina agua, el resultado final es un pan más concentrado que tiene más calorías por la misma cantidad de peso que un pan fresco, por lo que engorda más.

A esto hay que sumar que algunos colines y rosquillas incluyen en su composición aceites y otros tipos de grasas, luego definitivamente engordan MÁS.

7. La corteza del pan engorda menos que la miga

Igual que el pan tostado, la corteza del pan engorda MÁS que la miga, ya que contiene menos agua pero la misma cantidad de harina. Al contener menos agua pesa menos, luego a igual peso está más concentrado en nutrientes y por lo tanto en calorías.

8. El pan integral no engorda

El contenido calórico del pan integral es muy similar al del pan blanco, por lo que engorda más o menos LO MISMO. La diferencia radica en que la fibra que contiene hace más lenta la absorción de los glúcidos, aumenta la sensación de saciedad y con ello se tarda más tiempo en volver a sentir hambre. Su efecto hace que se coma menos y esa es la razón por la que se engorda menos.

9. Las legumbres engordan mucho

Las legumbres NO engordan mucho. No tienen muchas calorías en comparación con otros alimentos y además la cantidad que se consume por ración no es muy grande.

Lo que más engorda es el aceite, el tocino y los embutidos que se añaden a los potajes de legumbres, pero si se cocinan en crudo y con pocas grasas son muy saludables.

10. Yo engordo porque mi metabolismo es lento

Como explicábamos en el capítulo 2, el metabolismo basal son las calorías que necesitamos para mantener nuestras funciones vitales en estado de reposo absoluto. En el metabolismo basal influyen factores como la edad, el sexo, el peso y la talla.

A pesar de que el metabolismo es más alto cuanto mayor es el peso de una persona, entre dos personas del mismo peso la persona más musculosa es la que tiene el metabolismo más alto, es decir, que consume más calorías en reposo.

La mayoría de las personas que engordan lo hacen porque COMEN MÁS calorías de las que consumen.

Hacer ejercicio aumenta la musculatura y tener musculatura eleva el metabolismo basal –el consumo de calorías–, por lo tanto adelgaza.

11. ¿Es verdad que el chocolate produce adicción?

Según los expertos el chocolate NO produce adicción porque no contiene ninguna sustancia que induzca un síndrome de abstinencia.

Sin embargo, sí es cierto que el chocolate contiene diferentes sustancias que hacen que nos sintamos bien. Esa es la razón por la que experimentamos ansia por comerlo, además de que su sabor nos atrae y nos resulta agradable al paladar.

12. La fruta después de comer engorda más

La fruta engorda LO MISMO antes, durante o después de las comidas, porque las calorías que contiene no varían en función del momento en que se coma.

13. La piña quema la grasa

A pesar de que la piña contiene una sustancia llamada bromelina que ayuda a digerir las proteínas y de que su contenido en fibra hace que tenga efecto saciante, NO es cierto que la piña queme la grasa corporal.

En realidad no existe ningún alimento que produzca ese efecto milagroso.

14. La carne de cerdo es mala

NO es cierto que la carne de cerdo sea perjudicial, a pesar de que hace algunos años se decía que era la mayor responsable de la elevación de los niveles de colesterol en sangre.

Sin embargo, diversos estudios han evidenciado que la proporción y la calidad de la grasa que contiene la carne de cerdo varían en función de la dieta del animal. Así, cuando su alimentación es natural, en dehesa y con una base importante de bellotas, la grasa del cerdo se compone hasta en un 50 % por ácido oleico, lo que la convierte en el alimento de origen animal más parecido al aceite de oliva.

Aunque es cierto que la grasa de otros tipos de cerdo contiene una mayor cantidad de colesterol –entre 69-72 mg–, su proporción es similar a la de otros tipos de carnes, ya que el pollo contiene entre 69-100 mg y la ternera de 59 a 100 mg.

Las partes magras, como el jamón o el lomo –que no contienen grasa–, son muy recomendables por su alto contenido en proteínas y en vitamina B6, por lo tanto solo debemos evitar consumir habitualmente tocino, fiambres y embutidos y consumir en cambio carnes limpias de grasa y jamón sin tocino.

15. Los congelados tienen menos vitaminas

Los congelados no contienen menos vitaminas, sino MÁS vitaminas que los alimentos frescos. Según estudios realizados en ese sentido, se ha comprobado que los alimentos que se congelan nada más recolectarlos o recién pescados conservan todas sus vitaminas, mientras que los frescos las van perdiendo según pasan los días y por efecto de la oxidación, la luz y el calor.

16. Las grasas vegetales engordan menos

Las grasas vegetales engordan LO MISMO que las de origen animal, ya que las calorías que contienen son las mismas, independientemente de su origen.

Todos los aceites contienen exactamente las mismas calorías. En lo único que se diferencian es en que las grasas de origen vegetal son saturadas y elevan los niveles de colesterol LDL, mientras que las grasas vegetales son insaturadas –a excepción de las de palma y de coco– y por lo tanto son más sanas.

17. Comer huevos es malo

Comer huevos NO es malo si se comen en su justa medida. Es más, el huevo es un alimento muy nutritivo, su proteína es la de mayor valor biológico y además se digiere con facilidad, por lo que es estupendo para personas con estómago delicado.

Como pasa con todo, lo malo es comer huevos en exceso porque contienen colesterol, pero un huevo diario, o dos huevos tres veces por semana es una cantidad perfecta si se tiene cuidado de no tomar otros alimentos ricos en colesterol.

18. Los deportistas necesitan comer mucha carne

Aunque es cierto que para ganar musculatura es necesario comer proteínas, NO es cierto que los deportistas necesiten comer mucha carne. Las proteínas se encuentran no solo en la carne, sino también en los huevos, el pescado, las legumbres, los frutos secos, los cereales, el pan…

Un deportista que lleve una dieta equilibrada comerá de todo y recibirá los nutrientes que necesita sin necesidad de atiborrarse de carne, que cuando se consume en exceso produce una elevación de ácido úrico, problemas renales y gota.

19. La leche desnatada no alimenta

La leche desnatada alimenta exactamente IGUAL que la leche entera, ya que aunque se le elimina la grasa, conserva el resto de sus nutrientes: proteínas, hidratos de carbono y calcio. Sin embargo, es conveniente que la leche desnatada esté enriquecida con vitaminas A y D, que son vitaminas liposolubles –que se disuelven en la grasa– porque cuando se elimina la nata, que es la grasa de la leche, se eliminan también estas vitaminas.

20. Después de los 40 es irremediable engordar

NO es cierto que sea irremediable engordar después de los 40 años, a pesar de que es cierto que el metabolismo se va a haciendo más lento conforme se van cumpliendo años.

A partir de los 35 años el metabolismo va descendiendo un 5 % cada 5 años, es decir, que consumimos menos energía –calorías– en estado de reposo. A esto tenemos que sumar que con la edad nos movemos menos y que habitualmente comemos no solo igual, sino incluso más que cuando éramos jóvenes. De ahí que muchas personas engorden bastante a medida que se hacen mayores.

El problema se resuelve con actividad física y con un poco de control sobre lo que se come. Cada edad requiere comer lo necesario, ni más ni menos.

21. Para adelgazar hay que pasar hambre

Pasar hambre para adelgazar NO es conveniente, porque lo más probable será que en la siguiente comida te des un atracón.

Además, cuando haces periodos de ayuno tu organismo se pone en modo de ahorro de energía y cuando comes guarda más en previsión de otro periodo de ayuno, lo que al final en lugar de adelgazar te engorda.

22. Las espinacas contienen mucho hierro

A pesar de la fama que tienen, las espinacas NO contienen tanto hierro como se piensa. El famoso Popeye hizo que todos pensáramos que las latas de espinacas eran fuerza y poder en conserva, gracias al hierro que contenía dicha verdura. La realidad es bien distinta, ya que los 33 miligramos de hierro que en aquella época se pensaba que aportaban las espinacas se quedaron en solo 3 miligramos cuando se comprobó que la cifra había sido un error de transcripción.

23. Las lentejas contienen mucho hierro

Aunque es cierto que las lentejas y en general todas las legumbres son ricas en hierro, NO es cierto que contengan mucha cantidad. Hay otros alimentos cuyo aporte de hierro es mayor, como el cacao puro, los mejillones, las almejas, la carne o los cereales integrales.

Por otra parte, hay que tener en cuenta que el hierro procedente de los alimentos vegetales (hierro "no hemo") se absorbe solo entre un 5 % y un 20 %, mientras que el hierro que aportan los alimentos de origen animal (hierro "hemo") se absorbe hasta en un 35 %.

24. Algunos alimentos son malos

Aunque algunos alimentos son menos aconsejables que otros, NO hay ninguno que sea malo por definición. Todo depende de la cantidad que se coma y de los problemas de salud de cada persona, ya que sí es cierto que en algunas patologías se desaconsejan ciertos alimentos.

Consumir alimentos ricos en grasas saturadas o en azúcares, fiambres, embutidos y dulces no es conveniente, pero si se consumen solo de forma esporádica y moderada (poca cantidad y una vez por semana, por ejemplo) no pasa nada.

En cuanto a las bebidas alcohólicas, aunque los destilados con alta graduación alcohólica son perjudiciales para todo el mundo, en las personas adultas, que no sean abstemias ni lo tengan desaconsejado por su médico, consumir una cerveza o una copita de vino tinto al día es una cantidad sugerida dentro de la dieta mediterránea.

25. Sudar adelgaza

Sudar NO adelgaza ni lo más mínimo, porque lo único que se elimina con el sudor es agua y sales minerales, pero no grasa.

La reducción de peso que se produce al sudar es la del agua que se pierde a través del sudor y que se recupera en cuanto se beben líquidos. Beber es absolutamente necesario para recuperar lo perdido y para no deshidratarse.

26. Las bebidas con gas engordan

Las bebidas con gas SÍ engordan, pero no por el gas, sino por el alto contenido en azúcar que tienen los refrescos. Si no contienen azúcar, no engordan de forma directa, aunque sí producen malestar, dilatan el estómago –lo hacen más grande– y hacen que se tenga barriga.

Otra consecuencia de la dilatación de estómago que produce el gas es que, cuando se come, la sensación de saciedad tarda más en aparecer, porque el estómago admite más comida. Al comer más cantidad, es normal que se engorde.

27. La cerveza engorda

A pesar de que una cerveza no contiene demasiadas calorías –90 kcal una caña o 148 kcal un tercio– SÍ engorda por dos motivos: el primero, porque los bebedores de cerveza no suelen conformarse solo con una, sino que suelen beber varias y van sumando las calorías de sus azúcares naturales y del alcohol que contiene. Y el segundo porque el gas dilata el estómago, lo hace más grande y en consecuencia admite más cantidad de comida, ya que la sensación de saciedad llega más tarde.

Aunque se quiera achacar al gas la responsabilidad de la típica "barriga cervecera", él no es el único culpable, ya que esas barrigas suelen estar formadas de grasa y el gas no produce grasa. La realidad es que las personas que toman cerveza de forma habitual suelen acompañarla con tapas o comen y beben abundantemente, con lo que, al final, entre cerveza y comida consumen muchas más calorías de las que deberían.

Dos cervezas al día suman casi 300 kcal a la dieta diaria, que supone ganar alrededor de 1kilo de peso al mes.

28. Las bebidas alcohólicas engordan

Si tenemos en cuenta que el alcohol contiene 7 kcal por gramo –casi tantas como las grasas, que contienen 9 kcal– podemos deducir que las bebidas alcohólicas SÍ engordan y mucho.

Además, cuando acompañamos la comida con una bebida que contiene alcohol lo primero que quemamos es el alcohol –porque no necesitamos digerirlo–, con lo que muchas de las calorías que contienen el resto de los alimentos que hayamos ingerido irán a parar a nuestra despensa corporal en forma de grasas, ya que no necesitaremos consumirlas de inmediato.

Una copa de vino aporta alrededor de 80 kcal, un tercio de cerveza 145 kcal[30] y un cubalibre de ron con Coca Cola aproximadamente 265 kcal.

29. La margarina es mejor que la mantequilla

NO es cierto que la margarina sea mejor que la mantequilla, a pesar de que cuando la inventaron pensaron que era la alternativa ideal a la mantequilla porque esta contiene grasas saturadas que elevan el colesterol.

Algunas margarinas se elaboran con aceites vegetales, pero otras contienen productos lácteos ricos en colesterol y grasas animales, con lo que su contenido en grasas saturadas puede ser casi tan elevado como el de la mantequilla.

Incluso las que se fabrican solo con aceite vegetal producen una elevación del colesterol, porque para solidificar el aceite y hacerlo untable lo hidrogenan y el proceso de hidrogenación convierte las grasas insaturadas de los aceites vegetales en grasas "trans"[31], que no son nada recomendables.

La mejor alternativa a la mantequilla es sin lugar a dudas el aceite de oliva.

---

[30] Ver Tabla de calorías de bebidas alcohólicas en página 115.
[31] En el Capítulo 10.9, página 128, se explica qué son las grasas "trans".

30. El chocolate negro no engorda

NO es cierto que el chocolate negro no engorde y que se pueda comer libremente cuando se está a dieta. Es más sano porque contiene más cacao y algo menos de grasa añadida, pero tiene casi tantas calorías como el chocolate con leche.

31. Tomar alimentos funcionales es muy sano

Bajo la calificación de alimentos funcionales encontramos todo tipo de productos: panes enriquecidos en omega 3, yogures que contienen fibra, productos lácteos a los que se han añadido fitoesteroles, zumos enriquecidos con calcio, refrescos "con vitaminas", helados y hasta golosinas disfrazadas de barritas energéticas que son supuestamente sanas porque argumentan que contienen vitaminas.

Se convierten en alimentos funcionales aquellos a los que se les ha añadido alguna sustancia para "hacerlos más sanos".

Dentro de una lista larguísima de alimentos enriquecidos, encontramos algunos que –aunque no son necesarios– sí tienen efectos positivos sobre nuestro organismo, como los yogures con lactobacilus, pero en esa larga lista también se encuentran muchos productos que ya desde su base NO son sanos, bien porque contienen muchas grasas, bien por su elevado contenido en azúcares.

En muchísimos casos la sustancia añadida se encuentra en una cantidad tan ridículamente pequeña que no es en absoluto efectiva y sea como fuere, *no son productos creados para la salud, sino para el marketing comercial*, que responden a la necesidad que se ha creado entre los consumidores de buscar la salud en algo "diferente". El hecho de que a un refresco azucarado se le añadan vitaminas NO lo convierte en un alimento sano, pero las compañías de publicidad juegan con la falta de formación de los consumidores, en materia de nutrición y acaban haciéndoles creer que todo lo que se anuncia es bueno.

Algunos llaman a estos productos "nutracéuticos", que viene de la unión de las palabras "nutrición" y "farmacéutico". En algunos casos los alimentos han sido modificados genéticamente para conseguir ciertos beneficios, y en otros se añade al alimento base una sustancia que en concentraciones elevadas puede actuar igual que un medicamento.

¡Cuidado!, porque este tipo de alimentos no se pueden tomar en cantidades libres, ya que una ingesta excesiva puede tener efectos no deseados y puede producir toxicidad, de la misma forma que las vitaminas son necesarias, pero en dosis elevadas resultan tóxicas. Es necesario leer la etiqueta y no sobrepasar la dosis recomendada.

→ Según estudios realizados en la universidad de Nueva York, no solo hay que ser prudentes en el consumo de estos alimentos, sino que muchos de ellos deberían estar en la lista de alimentos no saludables.

32. La grasa vegetal no engorda

La grasa vegetal SÍ engorda, y los helados elaborados con ella también.

Engorda exactamente lo mismo que las grasas animales, ya que las calorías que aporta son las mismas. Los helados que menos engordan son los sorbetes, porque a pesar de que contienen azúcares, no contienen grasas.

33. Cuando se tiene el colesterol elevado no se pueden comer huevos

A pesar de que el huevo contiene colesterol y de la mala fama que se le ha creado, todos los estudios que se han realizado indican que el colesterol presente en el huevo no modifica los niveles de colesterol sanguíneo, por lo que no hay motivo para eliminarlos de la dieta. SÍ se pueden consumir sin problemas 3 o 4 huevos enteros a la semana, aunque el colesterol esté por encima de los valores normales.

34. La clara de huevo cruda alimenta mucho

Es cierto que la clara del huevo contiene la proteína de mayor calidad, pero CRUDA NO, porque se asimila mucho peor que cuando está cocinada, por lo tanto, conviene comerla cuajada.

Por otra parte, el huevo contiene una sustancia llamada "avidina", que es tóxica. Para desnaturalizar la avidina es necesario cocinar los huevos.

Más aún, el huevo crudo puede contener "salmonela", una bacteria que produce gastroenteritis agudas que pueden llegar a ser graves. La bacteria de la salmonela se neutraliza a 60 grados, es decir, cuando se cocina el huevo.

Como ves, cocinar los huevos solo aporta beneficios, ya que los huevos crudos pueden ocasionar muchos problemas de salud[32].

35. Es un error desechar las partes más verdes de las verduras

NO se deben desechar las hojas exteriores de las verduras, porque son las que contienen mayor cantidad de ácido fólico y clorofila. Lávalas y ponlas en tus ensaladas o úsalas en los purés de verduras.

36. Es un error tirar el caldo de cocer las verduras

NO tires el caldo de cocer las verduras, porque en él se quedan disueltas gran cantidad de las sales minerales que contienen estas.

Cuando cuezas verduras procura aprovechar el caldo tomándolo como un consomé vegetal o utilizándolo para sopas o guisos.

---

[32] Ver capítulo 8, página 77, sobre higiene alimentaria.

Capítulo 12
¿SABÍAS QUE...?

1. ¿Sabías que se puede adelgazar y ganar peso a la vez?

A veces ocurre que, mientras haces dieta y tu figura se va estilizando, la balanza parece que te dice lo contrario, porque te pesas y tu peso sigue siendo el mismo o incluso ha aumentado. Eso es normal cuando además de cuidar tu alimentación realizas ejercicio físico, ya que tu musculatura va aumentando de tamaño. La musculatura pesa más que la grasa, por lo que –aunque estés perdiendo grasa– ganas peso conforme crecen tus músculos, y es perfecto, porque al aumentar tu musculatura también aumenta tu tasa de metabolismo basal[33] y tu cuerpo quema más calorías incluso en reposo.

El peso no es la medida más fiable para comprobar que se está adelgazando. Es mejor recurrir a la cinta métrica o medir la grasa corporal mediante impedancemetría.

2. ¿Sabías que la uva es la fruta más rica en antioxidantes?

Lo es incluso más que las frambuesas, los arándanos, las moras o las grosellas, lo que hace que sea uno de los alimentos más aconsejados para combatir la oxidación de las células y su envejecimiento. El mayor poder antioxidante de la uva se debe al "resveratrol", una sustancia que se produce y almacena en la piel de esta fruta. En la prevención y tratamiento de las

---

[33] Ver "¿Qué es el metabolismo basal?", Capítulo 2.2, página 36.

enfermedades degenerativas como el alzheimer, la esclerosis múltiple, la artritis reumatoide, el lupus o el cáncer –entre otras–, la uva puede jugar un papel importante.

3. ¿Sabías que hacer abdominales no adelgaza?

Los abdominales mejoran el tono muscular de los músculos que sujetan los órganos internos y los de la espalda –se pone la tripa dura y mejora la postura–, pero no queman grasa.

Si quieres perder centímetros debes hacer además ejercicios aeróbicos (carrera, bicicleta, tenis, baile…) acompañados de una dieta hipocalórica.

4. ¿Sabías que comer y cenar con un refresco te puede hacer engordar hasta 12 kilos en 1 año?

Cada día es más habitual que se sustituya el agua de la comida y de la cena por un refresco de cola o similar, sin ser conscientes de los estragos que este gesto tan simple puede producir en la figura y en la salud de quienes lo hacen.

Una lata de 330 cc de refresco contiene 33 g de azúcar. Si tomas una lata en la comida y otra en la cena, habrás añadido a tu dieta diaria 280 kcal, más o menos lo mismo que gastas cuando caminas durante 2 horas, vas al gimnasio durante 1hora y 40 minutos o juegas al tenis durante 1hora.

Desde luego nadie se machaca haciendo ejercicio solo porque se haya tomado un par de refrescos, con lo que esas 280 kcal de más, que se consumen cada día, se convierten en 102.200 kcal en un año, o lo que es lo mismo, habrás engordado 11 kilos y 355 g. ¿Crees que te merece la pena?

El mismo resultado puede aplicarse al consumo de 2 tercios de cerveza o de un cubalibre al día.

5. ¿Sabías que para asimilar el hierro hay que tomar vitamina C?

A nuestro organismo no le resulta nada fácil absorber el hierro. A pesar de que necesitamos poca cantidad –entre 10 y 18 mg por día–, a veces es difícil cubrir los requerimientos mínimos, porque solo asimilamos un 20 % del hierro que contienen los alimentos de origen animal y un 5 % del que procede de alimentos de origen vegetal.

Para ayudar a que nuestro intestino pueda absorber una mayor cantidad de hierro, es aconsejable tomar alimentos ricos en vitamina C: kiwis, naranjas, pomelos, limones, tomate, mandarina, pimiento y perejil.

Si tienes anemia, procura acompañar las comidas que contengan hierro –carnes, pescados, almejas, legumbres, frutos secos, cacao puro– con un zumo de naranja, un limón exprimido en el agua, o una ensalada de tomate. También es aconsejable añadir una cucharada de perejil a todas las comidas, ya que es el vegetal con más alto contenido en hierro y en vitamina C.

6. ¿Sabías que algunos alimentos dificultan la absorción de hierro?

Algunas personas que padecen anemia ferropénica tienen dificultades para superarla a pesar de que su alimentación es correcta y de que toman preparados de hierro recetados por su médico. ¿Si toman hierro, por qué no superan la anemia?

La respuesta –la mayoría de las veces– es sencilla. No solo no toman vitamina C, que ayuda a que la absorción del hierro en el intestino sea mayor sino que, además, cuando toman hierro lo combinan con alimentos que impiden que este se absorba.

Algunos alimentos, como la leche, el té, la soja, el vinagre y los cereales integrales, dificultan la absorción de hierro cuando se toman en la misma comida.

Si tienes anemia procura limitar el consumo de leche y sus derivados, que además de que no contienen hierro impiden que el que contienen otros alimentos se absorba. Reduce también el consumo de té, soja y cereales integrales (pan integral). Si los tomas procura hacerlo 1 hora antes o 2 después de la ingestión de hierro.

7. ¿Sabías que un filete de carne sacia más que un pastel?

Que una comida copiosa sacia más que una frugal es evidente, porque cuando las paredes del estómago se sienten presionadas envían señales al cerebro y este las interpreta como que ya estamos satisfechos. Y como las comidas copiosas tardan más en ser digeridas, la sensación de saciedad dura más tiempo. Por el contrario, cuando el estómago se vacía, se contrae y vuelve a aparece la sensación de hambre. Pero ante una comida pequeña, ¿sabes qué alimentos son los que más sacian?

Las tablas de calorías no reflejan la capacidad saciante de los alimentos, ya que esta no tiene nada que ver con la cantidad de calorías que aporta el alimento.

Según un estudio realizado, la combinación en una misma comida de proteínas –carne, pescado, huevos y legumbres– con alimentos ricos en fibra –pan integral, ensaladas y verduras– y agua, es la que produce una mayor saciedad, mientras que los alimentos ricos en grasas sacian menos.

Los alimentos ricos en proteínas y los hidratos de carbono –pan, pastas, arroces, patatas (sobre todo las patatas cocidas) y los cereales integrales– son los que demostraron tener una mayor capacidad saciante.

Las proteínas son las que hacen que dure más la sensación de saciedad, mientras que las grasas son las que menos. Probablemente esa es la razón por la que las personas que consumen dietas muy ricas en grasas sienten hambre con mayor frecuencia y en consecuencia comen más, factor que les lleva –junto con el elevado aporte energético de las grasas– a la obesidad.

8. ¿Sabías que la leche caliente ayuda a conciliar el sueño?

La leche contiene un aminoácido llamado "triptófano" que –entre otras cosas– induce el sueño. De ahí viene la costumbre de tomar un vaso de leche antes de dormir. Si tienes dificultades para dormir, pruébalo.

También contienen triptófano: la soja, la carne (especialmente pollo y pavo), las nueces, el pescado, las legumbres (sobre todo los garbanzos), los huevos y otros alimentos altos en proteínas.

9. ¿Sabías que la manzana ayuda a eliminar el colesterol?

La manzana es la fruta ideal para los problemas de hígado y de vesícula biliar, porque contiene un tipo de fibra –la pectina– que ejerce un efecto de esponja. La pectina de la manzana absorbe el colesterol presente en el intestino e impide que este vuelva al interior del organismo, por lo que tomando manzanas a diario, el colesterol en sangre se reduce considerablemente en tan solo unos días.

10. ¿Sabías que una hipoglucemia puede parecer una crisis de ansiedad?

La hipoglucemia es una concentración de glucosa en sangre anormalmente baja que se produce después de varias horas sin comer o tras una actividad física intensa, debido a que el organismo sigue utilizando glucosa cuando ya no queda glucógeno[34] en el hígado para suministrarla. También puede estar ligada a una diabetes, a problemas hepáticos y a la ingestión de alcohol.

La hipoglucemia ocasiona:

Nerviosismo
Sudor
Temblores

---

[34] Ver "¿Qué es el glucógeno?" Capítulo 1.13, página 24.

Sensación de hormigueo en las manos, labios y otras partes del cuerpo.
Sudoración fría
Visión borrosa
Cansancio excesivo
Mareos
Dolor de cabeza
Dolor en el pecho

Sus síntomas son parecidos a los de una crisis de ansiedad, por lo que en ocasiones se confunden fácilmente –sobre todo cuando la sufren personas jóvenes–, y puede ocurrir que quienes están a su alrededor no le den la importancia que tiene.

La hipoglucemia debe ser tratada "inmediatamente", porque de lo contrario pueden producirse convulsiones, desmayos, coma e incluso la muerte.

Su tratamiento suele ser tan fácil como tomar alimentos ricos en azúcares: un refresco, unas galletas, 3 terrones de azúcar, un yogur o un zumo de naranja, seguidos de algo más consistente, como un bocadillo. Si de esta forma no se resuelve, el paciente debe ser tratado por un equipo médico con urgencia.

11. ¿Sabías que las pastillas de caldo concentrado pueden producir jaquecas?

La cocina moderna ha incorporado los cubitos de caldo concentrado para dar más sabor a las comidas, pero este sistema está bastante lejos de ser aconsejable.

Estas pastillas tienen un alto contenido en sal, por lo que están contraindicadas para los hipertensos. Además contienen grasas saturadas –que aumentan los niveles de colesterol– y unas sustancias potenciadoras del sabor que se llaman "glutamatos" y que producen dolores de cabeza, jaquecas y problemas digestivos.

Para dar sabor a las comidas es mucho más sano añadirles perejil, tomate, laurel, ajo, cebolla, tomillo, orégano y aceite de oliva.

12. ¿Sabías que los refrescos impiden que se absorba el calcio?

Hoy en día son muchos los jóvenes que sustituyen la leche y los zumos naturales por refrescos comerciales. Estos populares refrescos con gas contienen fosfatos y derivados que actúan como auténticos desintegradores de los huesos debido a su riqueza en fósforo, el mineral "anti-calcio". Para comprobar el efecto que los refrescos tienen sobre los huesos no hay más que introducir un hueso de pollo en un recipiente lleno de refresco y ver cómo queda al cabo de unos días.

La absorción de calcio se ve favorecida con la vitamina D, la actividad física, la lactosa de la leche y el magnesio, que ayudan a que el intestino lo absorba y que se fije en los huesos.

13. ¿Sabías que comer rápido hace que se coma más?

Hay quien dice que comer rápido engorda. Esta afirmación no es cierta y sin embargo se convierte en realidad la mayoría de las veces.

Si observamos comer a las personas que están "sobradas" de peso, notaremos que comen a una velocidad superior a la de las personas que están delgadas. Si comer rápido no engorda, ¿por qué esas personas están más gordas?

Lo que les ocurre es que al comer más deprisa, ingieren en el mismo tiempo más cantidad de comida que sus compañeros de mesa, ya que entre el momento en que el estómago envía la señal de saciedad al hipotálamo y este da la orden de dejar de comer pasan alrededor de 20 minutos. Así es que si comemos demasiado rápido, no damos tiempo a que la señal llegue y como seguimos comiendo durante un rato más, al final comemos más cantidad.

Según diversos estudios, tanto las personas que comen demasiado deprisa, como las que suelen comer hasta hartarse, multiplican por dos la posibilidad de ser obesos y si en una misma persona se dan las dos circunstancias a la vez, se triplica esta posibilidad en comparación con las personas que comen de forma pausada y sin llegar a saciarse.

14. ¿Sabías que la coliflor tiene propiedades anti-cancerígenas?

La coliflor y la col pertenecen a la familia de las crucíferas y está científicamente comprobado que tienen propiedades anticancerígenas, gracias a su elevado contenido en vitaminas A, C y E y a los sulforanos que contienen (que son los responsables del olor a azufre que desprenden durante la cocción). Estos nutrientes ejercen un efecto de barrido que limpia las sustancias potencialmente cancerígenas.

Comer col y coliflor es una buena costumbre que por desagracia se está perdiendo y que es conveniente recuperar.

15. ¿Sabías que tener el hierro bajo favorece la aparición de celulitis?

Si tienes celulitis sería bueno que te hicieras un análisis de sangre para comprobar tus niveles de hierro, ya que las anemias por falta de hierro favorecen la aparición de la celulitis y además dificultan que se eliminen los depósitos de grasa.

Para combatir la celulitis es necesario actuar desde diferentes frentes:

1. La dieta es imprescindible. Hay que reducir los azúcares al máximo, mientras que hay que incrementar el consumo de verduras y de alimentos ricos en hierro, acompañados de vitamina C.

2. Andar, moverse y hacer ejercicio es importante para mejorar la circulación y favorecer la combustión de las grasas.

3. Los masajes pueden ayudar a movilizar las grasas y a mejorar la circulación.

4. Hay que beber mucho: agua, zumos e infusiones a todas horas.

16. ¿Sabías que el perejil combate el mal aliento?

Las causas de este problema pueden ser desde una escasa higiene bucal hasta enfermedades relacionadas con los pulmones, el aparato digestivo, la nariz o la garganta, aunque hoy en día se sabe que el mal aliento procede de la boca y de la garganta en un 90 % de los casos.

El mal olor de la boca está producido por la proliferación de bacterias que proceden de restos de alimentos entre los dientes, de saliva, de células de la mucosa oral, o de sangre, que generan sustancias volátiles y componentes sulfurados, y que suele empeorar después del consumo de alcohol, tabaco, café, productos lácteos y dulces.

Para aliviar este problema es necesario tener una correcta higiene bucal, con cepillado de los dientes y de la lengua hasta el fondo y masticar hojas de perejil o tomarlo en extracto (se puede comprar en tiendas especializadas). Las esencias y la clorofila que contiene el perejil neutralizan el mal aliento.

También es útil reducir el consumo de ajo y cebolla, alcohol, tabaco, lácteos, dulces y grasas, masticar bien los alimentos y tomar una infusión de poleo-menta con anís verde después de las comidas. La menta –igual que el perejil– contrarresta el mal olor, y el anís tiene propiedades bacteriostáticas. (El anís se puede masticar, 3 o 4 granos después de las comidas).

17. ¿Sabías que la naranja contiene calcio?

Ingerir alimentos ricos en calcio es necesario para mantener la salud de nuestros huesos. La creencia popular de que la única fuente de calcio está en la leche y sus derivados es falsa, ya que hay otros muchos alimentos que lo contienen.

Que las naranjas son ricas en vitamina C y que son útiles para aumentar las defensas, para prevenir la gripe o para luchar contra el cáncer es algo que ya sabemos, pero pocos saben que las naranjas –además– contienen betacarotenos, minerales y calcio.

Un vaso –de 250 cc– de zumo de naranja contiene 123 mg de calcio, así que si no te gustan los lácteos, pásate al zumo de naranja.

Otros alimentos ricos en calcio son: las verduras de hoja verde (espinacas sobre todo), las uvas pasas, los higos secos, el brócoli, las almendras y el resto de frutos secos, la leche de soja enriquecida en calcio y el pescado.

18. ¿Sabías que el sol ayuda a absorber el calcio?

Cuidar la dieta es básico para garantizar un buen aporte de calcio, pero a veces se tiene una descalcificación a pesar de ingerir alimentos ricos en este mineral, porque el hecho de que la dieta los contenga no es garantía de que este se absorba, ya que nuestro intestino absorbe solo un 30 % del que ingerimos.

La vitamina D favorece la absorción del calcio y la mejor fuente de esta vitamina es el sol. Exponer la cara y las extremidades al sol durante 15 minutos al día es una buena forma de garantizar el suministro de vitamina D.

Para quienes resulta imposible disfrutar del sol, como las personas que viven en países nórdicos, o las que están en cama, existen otras fuentes de vitamina D, como los huevos y el pescado azul (sardinas, caballa, atún, bonito, anchoas).

El ejercicio físico moderado también favorece la absorción del calcio.

19. ¿Sabías que los antiácidos pueden ser causa de fracturas?

Los fármacos que se utilizan para combatir la acidez inhiben la absorción del calcio, por lo que si se toman durante más de un año, pueden dar lugar a que se produzcan fracturas al más mínimo golpe en personas mayores de 50 años[35].

---

[35] Según un estudio realizado sobre más de 145.000 pacientes, con una media de edad de 77 años, publicado en la revista *Journal of the American Medical Association*.

ANEXO

1. Diario Dietético

	DÍA 1	DÍA 2	DÍA 3	DÍA 4	DÍA 5	DÍA 6	DÍA 7
DESAYUNO							
ALMUERZO/ APERITIVO							
COMIDA							
MERIENDA							
CENA							
OTROS							
Minutos/Tipo EJERCICIO FÍSICO							

2. Más información sobre las vitaminas

En la siguiente tabla figuran las diferentes funciones que desempeñan las vitaminas en nuestro organismo, los síntomas que producen sus deficiencias y en qué alimentos puedes encontrarlas.

VITAMINAS			
	Función en el organismo	**Síntomas de deficiencia**	**Fuentes**
Vitamina A	Crecimiento, piel saludable, cabello, dientes, ojos, resistencia a infecciones, esencial para la visión...	Heridas en la boca y en las encías, baja resistencia a las enfermedades, problemas de piel, ceguera nocturna, caspa, caída de las uñas...	Hígado de buey de ternera y de cerdo. Zanahorias, tomates, espinacas, pasas, ciruelas, albaricoques, frijoles, judías verdes, perejil, peras, lechuga...
Vitamina B1 (Tiamina)	Crecimiento, función correcta del sistema nervioso, obtención de energía de los carbohidratos, se ocupa del buen rendimiento de los músculos, del corazón y del cerebro...	Disminución de la memoria, falta de atención, flaqueza muscular, reducción de la capacidad mental, fatiga, pérdida del apetito...	Carne de cerdo, yema de huevo. Arroz integral (el arroz blanco no), judías, harina entera de trigo, extracto de levadura, frijoles, germen de trigo, tofu, nueces, cacahuetes, avena, pan, lentejas...
Vitamina B2 (Riboflavina)	Obtención de energía, ayuda a crear los anticuerpos. Actúa en la regeneración sanguínea, en el hígado, en el trabajo cardiaco y en el aparato ocular...	Heridas en la esquina de la boca, afecciones en la piel, inflamación en la cornea, inflamación de la lengua...	Hígado de cerdo, de ternera y de buey, quesos, jamón crudo, carne, huevo, pescado, leche. Aguacate, avellanas, almendras, setas, escarola, espinacas, judías blancas, levadura de cerveza, nueces, perejil, plátano, melón...

Vitamina B5 (Niacina)	Obtención de energía, cabello saludable, esencial para la producción de hormonas sexuales, ayuda al uso orgánico de proteínas, hierro y calcio...	Pelagra: dermatitis (enrojecimiento y descamación); diarrea (y lesiones en la lengua); demencia (y alucinaciones, delirios, amnesia...).	Calabaza, cacahuetes, levadura de cerveza, pimiento dulce, tofu, arroz integral, almendras, pipas de girasol...
Vitamina B6	Formación de la hemoglobina y anticuerpos en la sangre, trata problemas en la menstruación de la mujer, metaboliza las proteínas...	Pelagra, calambres musculares...	Huevos, hígado, pescado, carne. Levadura de cerveza, judías, lentejas, bananas, tofu, nueces, avellanas...
Vitamina B12	El más poderoso elemento antianémico conocido, vital para la producción de hemoglobina, esencial para la división celular, crecimiento y obtención de energía de los carbohidratos, salud de los sistemas nervioso y reproductivo...	Cansancio, heridas en la lengua, indigestión. **Grave:** formación anormal de la sangre que conduce a una anemia megaloblástica, desórdenes nerviosos que conducen a la degeneración de la espina dorsal y a la infertilidad en la mujer...	Hígado, riñones, pescados, huevo, quesos fermentados. Levadura de cerveza, leche de soja fortalecida, brotes de alfalfa, mijo...

Vitamina C	Crecimiento de los huesos, curación de las heridas, previene infecciones, vital para una función vital de los nervios y el cerebro, piel saludable, dientes, cabello, glándulas adrenales y capilares, encías, incrementa la absorción de hierro en el cuerpo, colabora con el hierro en la formación de la hemoglobina...	Encías sangrantes, lenta curación de las heridas, depresión, dolor en las articulaciones...	Cítricos, verduras verdes, patata, tomates, pimientos, pasas, perejil, nabos, espinacas, fresas.
Vitamina D	Es esencial para mantener y movilizar el calcio y el fósforo en el organismo, sistema nervioso saludable, corazón, piel, glándula tiroides...	Reblandecimiento de los huesos...	Rayos solares...
Vitamina E	Componente de todas las membranas celulares, baja la presión sanguínea, músculos saludables, reduce el colesterol en la sangre...	Su deficiencia provoca la esterilidad...	Fruta, nueces, aceites vegetales, maíz, espinacas, lechuga, hojas verdes en general y yema de huevo
Vitamina K	Su función específica es coagular la sangre.	(Es muy difícil que pueda llegar a ser insuficiente, ya que los microbios del intestino la suministran).	Hígado, leche, avena, patata, zanahoria, col, coliflor, guisantes, espinacas, soja, trigo, fresas...

Ácido fólico	Cofactor de enzimas. Participa en el metabolismo de aminoácidos, purinas y ácidos nucléicos.	Espina bífida, mala formación del sistema nervioso central, hemorragias fetales. Trastornos digestivos, diarreas, anemia megaloblástica.	Copos de maíz, espinacas, hígado, plátanos, almendras, cacahuetes naranjas, tomates, leche, huevos, patatas y albaricoques.
Vitamina F	Nutre la piel, trabaja con la vitamina D. Componente de las membranas celulares, fibras nerviosas, células cerebrales y órganos reproductivos.	Eccema, enrojecimiento y descamación de una parte de la piel, granos y acné, diarrea, pérdida de peso, caspa, sequedad en uñas y cabello.	Aceites poliinsaturados (soja, girasol, cacahuete...), nueces, granos...

FACTORES QUE NEUTRALIZAN Y DESTRUYEN ALGUNAS VITAMINAS:

Las bebidas alcohólicas. El alcohol aporta calorías sin apenas contenido vitamínico, a la vez que disminuye el apetito; al ingerir menos alimentos se producen carencias principalmente de ácido fólico y de vitaminas del grupo B.

El tabaco. La vitamina C interviene en los procesos de desintoxicación, reaccionando contra las toxinas del tabaco.

Debido a ese gasto extra, en fumadores se recomienda un aporte de vitamina C doble o triple del normal.

El estrés. Bajo tensión emocional se segrega más adrenalina que consume gran cantidad de vitamina C.

En situaciones de estrés, se requiere un suplemento de vitaminas C, E y del grupo B.

Medicamentos. Los antibióticos y laxantes destruyen la flora intestinal, por lo que se puede sufrir déficit de vitamina B12.

3. Más información sobre los minerales

MINERALES			
Elemento	Función en el organismo	Síntomas de deficiencia	Fuentes
Sodio	Se adhiere al cloro para formar sal, un componente esencial en los fluidos del cuerpo, circulando fuera de las células, y en la sangre y en el ácido hidroclórico en el estómago. Trabaja en combinación con el potasio, manteniendo el agua y los ácidos en sus balances correctos. Regula la actividad de los nervios y los músculos	Su deficiencia causa calambres musculares y deshidratación en el cuerpo. Su exceso causa retención de fluidos, daña los riñones e incrementa la presión sanguínea.	Verduras verdes, brotes de alfalfa, lentejas, frutos secos, zanahorias.
Potasio	Trabaja en colaboración con el sodio. Su absorción es reducida si la dieta es alta en azúcar, alcohol o café.	Músculos débiles, reflejos pobres, constipación, confusión mental.	Harina de soja, judías, fruta, pan, nueces, tofu (queso de soja).
Cloro	Trabaja con el sodio. Es esencial el balance del cloro con el sodio.	Ídem que el sodio.	Aceitunas, algas.
Magnesio	Trabaja en conjunción con el calcio y fósforo como componente de los huesos. El balance del calcio y el magnesio es esencial.	Apatía, depresión, desórdenes nerviosos, debilidad muscular.	Nueces, tofu, lentejas, harina entera de trigo, frutas.

Fósforo	Combinado con el calcio para formar fosfato de calcio, que es el mayor componente de los huesos y dientes. También colabora para el uso del complejo de vitaminas B.	Debilidad muscular. Su exceso deteriora el balance de calcio/ fósforo y causa deficiencia de calcio en el cuerpo.	Extracto de levadura, nueces, harina entera de trigo, judías, pan, lentejas, verduras verdes, frutos secos, setas, tubérculos (patatas, boniatos).
Calcio	Trabaja en conjunción con el magnesio, el fósforo y la vitamina D para formar huesos y dientes. Este balance es esencial. También es vital para el funcionamiento de los nervios, la actividad de las enzimas, contracción muscular, y en conjunción con la vitamina K, es necesaria para la circulación de la sangre y la curación de las heridas. Su absorción es reducida en presencia del ácido fítico (cereales) y de ácido oxálico (espinacas)	Calambres musculares, espasmos nerviosos.	Melaza, almendras, tofú, pan entero de trigo, pipas de girasol, frutos secos, algas, judías cocidas, brócoli, semillas de sésamo, habichuelas, perejil, nabos, levaduras.

Hierro	Importante elemento, sobre la mitad del hierro del cuerpo es usado para la hemoglobina (pigmento rojo en la sangre) y la producción de enzimas usadas en la respiración, necesario para un correcto metabolismo del grupo de vitaminas B: concediendo cabello, piel, uñas y huesos saludables.	Fatiga general, baja resistencia a las enfermedades.	Lentejas, avena, ciruelas, pasas, pan entero de trigo, albaricoques, higos, granadas, semillas de sésamo, germen de trigo, judías de soja, coco, cereales de trigo, tofu, perejil, salvado, avellanas, habichuelas.
Cobre	Necesitado por el hierro para la formación de hemoglobina, envuelto en la formación del pigmento melanina que colorea la piel y el cabello, esencial para la utilización de la vitamina C.	Pérdida del color del cabello, anemia, pérdida del sentido del gusto, ascenso de la presión sanguínea.	Judías, cereales, granos, verduras, setas, harina entera de trigo, frutos secos, pan, extracto de levadura, coco.
Yodo	Regula el metabolismo. Se necesita para tener un cabello, piel y uñas saludables, correcto crecimiento.	Baja vitalidad, pobre circulación sanguínea, pereza física y mental, reducción del índice metabólico, engordamiento, piel y cabello seco.	Verduras verdes, sal marina, algas, cebollas, cereales.

OLIGOELEMENTOS

Selenio: Es un potente antioxidante natural, que nos previene del envejecimiento de los tejidos y de ciertos tipos de cáncer. También se utiliza para el tratamiento de la caspa.

Fuentes: germen y salvado de trigo, cebollas, ajo, tomate, brécol y levadura de cerveza.

Cromo: participa en el buen funcionamiento de la insulina y en el transporte de proteínas.

Fuentes: grasa y aceites vegetales, levadura de cerveza, cebolla, lechuga, patatas y berros.

Silicio: indispensable para la asimilación del calcio. Remineralizante.

Fuentes: agua potable y alimentos vegetales en general.

Níquel: necesario para el buen funcionamiento del páncreas, el órgano donde se forma la insulina.

Fuentes: legumbres y cereales integrales.

Litio: es un oligoelemento fundamental para la regulación del sistema nervioso central.

Las fuentes dietéticas son muy imprecisas, ya que son pocos los análisis químicos en los que se valora la cantidad de este oligoelemento: vegetales, crustáceos y algunos pescados.

4. Tabla de calorías por 100 g de alimento

CALORÍAS POR GRUPOS Y RACIONES DE ALIMENTOS			
Alimento	**Grupo**	**Cantidad**	**Kcal**
Aceite de bacalao	Aceites y grasas	1 c. sopera, 10 g	90
Aceite de coco	Aceites y grasas	1 c. sopera, 10 g	135
Aceite de germen de trigo	Aceites y grasas	1 c. sopera, 10 g	89
Aceite de girasol	Aceites y grasas	1 c. sopera, 10 g	90
Aceite de hígado de bacalao	Aceites y grasas	1 c. sopera, 10 g	130
Aceite de oliva	Aceites y grasas	1 c. sopera, 10 g	90
Aceite de trigo	Aceites y grasas	10 g	90
Aceites de semillas	Aceites y grasas	1 c. sopera, 10 g	76
Aguardiente	Bebidas alcohólicas	100 ml	865
Ron	Bebidas alcohólicas	1 copa, 50 ml	110
Sidra	Bebidas alcohólicas	1/2 copa, 100 ml	50
Vermut dulce	Bebidas alcohólicas	1 copa, 35 ml	50

Vermut seco	Bebidas alcohólicas	1 copa, 40 ml	40
Vino blanco	Bebidas alcohólicas	1 copa, 100 ml	85
Vino rosado	Bebidas alcohólicas	1 copa, 100 ml	74
Vino tinto	Bebidas alcohólicas	1 copa, 100 ml	65
Vodka	Bebidas alcohólicas	1/2 copa, 30 ml	72
Whisky	Bebidas alcohólicas	1 dosis, 100 ml	240
Café c/azúcar	Bebidas no alcohólicas	1 tacita, 50 ml	26
Zumo de lima natural	Bebidas no alcohólicas	1 vaso, 200 ml	74
Zumo de melocotón natural	Bebidas no alcohólicas	1 vaso, 200 ml	64
Zumo de naranja natural	Bebidas no alcohólicas	1 vaso, 200 ml	74
Zumo de tomate natural	Bebidas no alcohólicas	1 vaso, 200 ml	23
Bacón frito	Carnes y aves	2 lonchas finas, 20 g	97
Bistec de cerdo	Carnes y aves	1 unidad, 150 g	360
Buey asado	Carnes y aves	100 g	288
Buey cocido	Carnes y aves	100 g	235
Cabrito	Carnes y aves	100 g	357
Chuleta de cerdo	Carnes y aves	100 g	336
Chuleta de cordero asada	Carnes y aves	100 g	356
Costilla de cerdo	Carnes y aves	100 g	390
Costillas de cordero	Carnes y aves	100 g	352
Hígado de buey frito	Carnes y aves	100 g	210
Hígado de cerdo	Carnes y aves	100 g	264
Hígado de cordero	Carnes y aves	100 g	196
Hígado de pollo	Carnes y aves	100 g	124
Hígado de ternera	Carnes y aves	100 g	256
Jamón de cerdo asado	Carnes y aves	200 g	393
Lomo de cerdo	Carnes y aves	100 g	362
Muslo de pollo	Carnes y aves	100 g	144
Muslo de pollo asado c/ piel	Carnes y aves	100 g	110
Muslo de pollo asado s/ piel	Carnes y aves	100 g	98
Muslo de pollo hervido	Carnes y aves	100 g	110
Pato asado c/piel	Carnes y aves	100 g	320
Perdiz asada	Carnes y aves	100 g	206
Pato asado s/piel	Carnes y aves	100 g	191
Pechuga pollo asada	Carnes y aves	100 g	109
Pechuga de pollo asada s/piel	Carnes y aves	100 g	98
Pechuga de pollo hervida	Carnes y aves	100 g	109
Pierna de cabrito asada	Carnes y aves	100 g	357

Pierna de cordero asada	Carnes y aves	100 g	194
Pollo a la parrilla	Carnes y aves	100 g	146
Pollo hervido	Carnes y aves	100 g	220
Pollo hervido s/piel	Carnes y aves	100 g	188
Ternera asada	Carnes y aves	100 g	231
Ternera guisada	Carnes y aves	100 g	256
Ternera hervida	Carnes y aves	100 g	230
Tocino ahumado	Carnes y aves	20 g	138
Ajo	Condimentos	1 diente, 5 g	7
Azúcar blanco refinado	Condimentos	1 cucharadita rasa, 10 g	48
Caldo de carne en cubitos	Condimentos	1 pastilla	33
Comino	Condimentos	1 cdta rasa, 6 g	3
Curry	Condimentos	1 cdta. rasa, 6 g	11
Manteca de cerdo	Condimentos	100 g	879
Mantequilla c/sal	Condimentos	1 c. sopera, 10 g	77
Mantequilla s/sal	Condimentos	1 c. sopera, 10 g	76
Margarina	Condimentos	100 g	720
Mostaza	Condimentos	1 cucharita rasa, 10 g	8
Pimentón	Condimentos	1 cucharita rasa, 6 g	20
Vinagre	Condimentos	1 c. sopera, 10 g	2
Almendras	Frutas frescas y secas	20 unidades, 100 g	640
Avellanas	Frutas frescas y secas	10 unidades, 100 g	640
Castañas asadas	Frutas frescas y secas	10 unidades, 100 g	633
Cerezas	Frutas frescas y secas	100 g	340
Chirimoya	Frutas frescas y secas	100 g	47
Ciruela fresca	Frutas frescas y secas	10 unidades, 100 g	60
Frambuesa	Frutas frescas y secas	100 g	82
Guinda	Frutas frescas y secas	100 g	66
Higos	Frutas frescas y secas	100 g	63
Higos secos	Frutas frescas y secas	100 g	68
Kiwi	Frutas frescas y secas	Unidad, 30 g	60
Lima	Frutas frescas y secas	Unidad	46
Limón	Frutas frescas y secas	100 g	51
Manzana	Frutas frescas y secas	Unidad	12
Melocotón	Frutas frescas y secas	100 g	122
Melón	Frutas frescas y secas	100 g	58
Naranja	Frutas frescas y secas	Unidad	46
Naranja dulce	Frutas frescas y secas	160 g	60
Nectarina	Frutas frescas y secas	100 g	42
Pera	Frutas Frescas y secas	Unidad, 100 g	64
Piña	Frutas frescas y secas	Unidad, 100 g	56

Plátano	Frutas frescas y secas	100 g	52
Uva blanca	Frutas frescas y secas	Unidad, 150 g	63
Uvas pasas	Frutas frescas y secas	100 g	76
Aceites	Grasas	1 cda. 10 g	89
Clara de huevo cocida	Huevos	Unidad	13
Clara de huevo frita	Huevos	Unidad	22
Uvas pasas	Frutas frescas y secas	100 g	76
Huevo	Huevos	Unidad	78
Huevo crudo	Huevos	Unidad	76
Huevo frito	Huevos	Unidad	108
Tortilla francesa	Huevos	1 huevo	104
Yema de huevo frita	Huevos	Unidad	85
Crema de leche	Lácteos	1 c. sopera, 15 g	37
Cuajada	Lácteos	1 c. sopera, 20 g	52
Leche con chocolate	Lácteos	1 vaso, 150 ml	185
Leche condensada	Lácteos	1 c. sopera, 20 g	66
Leche desnatada	Lácteos	1 vaso, 200 ml	70
Leche entera	Lácteos	1 vaso, 200 ml	124
Leche semidesnatada	Lácteos	1 vaso, 200 ml	96
Nata	Lácteos	1 c. sopera, 20 g	42
Yogur desnatado	Lácteos	Unidad	126
Yogur natural	Lácteos	Unidad	138
Canelones	Pastas	Unidad, 100 g	133
Macarrones con salsa de tomate	Pastas	1 ración, 100 g	104
Macarrones hervidos	Pastas	1 ración, 100 g	154
Raviolis de carne	Pastas	1 ración, 100 g	288
Espaguetis hervidos	Pastas	1 plato, 160 g	233
Tallarines hervidos	Pastas	1 plato, 160 g	456
Tortellinis de carne	Pastas	1 plato, 250 g	931
Atún en aceite	Pescados y mariscos	1 c. sopera, 20 ml	56
Bacalao a la parrilla	Pescados y mariscos	100 g	110
Calamares a la romana	Pescados y mariscos	100 g	190
Caviar	Pescados y mariscos	100 g	29
Gallo	Pescados y mariscos	100 g	109
Langosta cocida	Pescados y mariscos	Unidad, 200 g	196
Langostinos	Pescados y mariscos	8 unidades, 100 g	112
Lenguado a la parrilla	Pescados y mariscos	100 g	90
Mejillones al vapor	Pescados y mariscos	100 g	79
Merluza hervida	Pescados y mariscos	100 g	97
Mero	Pescados y mariscos	100 g	96
Ostras	Pescados y mariscos	3 unidades, 100 g	81

Róbalo	Pescados y mariscos	100 g	72
Salmón ahumado	Pescados y mariscos	100 g	204
Sardinas	Pescados y mariscos	2 unidades, 100 g	134
Sardinas en aceite	Pescados y mariscos	3 unidades, 100 g	298
Camembert	Quesos	50 g	136
Crema de queso	Quesos	1 c. sopera, 20 g	25
Emmental	Quesos	30 g	85
Fundido	Quesos	35 g	124
Gorgonzola	Quesos	30 g	119
Gruyer	Quesos	25 g	93
Mozarela	Quesos	15 g	47
Parmesano	Quesos	30 g	115
Requesón	Quesos	1 c. sopera, 20 g	60
Roquefort	Quesos	25 g	100
Coca Cola	Refrescos	1 lata, 350 ml	137
Fanta	Refrescos	1 lata, 350 ml	189
Sprite	Refrescos	1 lata, 350 ml	115
Crema de champiñones	Sopas y cremas	1 plato, 250 ml	216
Crema de espárragos	Sopas y cremas	1 plato, 250 ml	159
Sopa de cebolla	Sopas y cremas	1 plato, 250 ml	173
Sopa de tomate	Sopas y cremas	1 plato, 250 ml	88
Sopa de vegetales	Sopas y cremas	1 plato, 250 ml	72
Aceitunas en salmuera	Varios	100 g	90
Aceitunas	Verduras	100 g	135
Acelgas	Verduras	100 g	87
Achicoria	Verduras	100 g	72
Aguacates	Verduras	100 g	930
Acelgas hervidas	Verduras y legumbres	180 g	30
Alcachofas hervidas	Verduras y legumbres	Unidad, 120 g	60
Arroz blanco hervido	Verduras y legumbres	1 c. sopera, 20 g	26
Berenjenas	Verduras y legumbres	Unidad, 250 g	489
Cebolla hervida	Verduras y legumbres	Unidad, 100 g	41
Escarola	Verduras y legumbres	20 g	7
Habas hervidas	Verduras y legumbres	80 g	100
Lentejas hervidas	Verduras y legumbres	1 c. sopera, 20 g	39
Nabos	Verduras y legumbres	100 g	35
Pepino	Verduras y legumbres	Unidad, 150 g	5
Pimiento verde	Verduras y legumbres	2 unidades, 100 g	29
Rabanitos	Verduras y legumbres	100 g	16
Tomate	Verduras y legumbres	Unidad, 100 g	20

5. Cantidades de alimento por intercambio[36]

1. LÁCTEOS	
Cantidad de alimento por unidad de intercambio	**Alimentos**
200 ml	Leche.
250 g	Yogur, cuajada, flan, Actimel.
100 g	Queso de Burgos.
60 g	Petit Suisse.

2. ALIMENTOS PROTEICOS	
Cantidad de alimentos por unidad de intercambio	**Alimentos**
Carnes con 2-6 gramos de grasa	
60 g	Jamón cocido, riñones de ternera, pierna de cordero.
50 g	Avestruz, buey, caballo, callos, cabrito, conejo, ciervo, faisán, hígado (cerdo, cordero, pollo, ternera), jabalí, pollo, pavo, perdiz, liebre, ternera magra, venado.
Carnes con 6-12 gramos de grasa	
50 g	Codorniz, cerdo magro, paloma, ternera semigrasa.
30 g	Jamón serrano magro, lomo embuchado.
Carnes con 13-25 gramos de grasa	
75 g	Chóped, mortadela, salchicha, morcilla negra.
50 g	Bacón, cerdo grado, chuleta y costilla de cordero, chorizo, lacón, morcilla blanca, paté, ternera grasa, salchichón, sobrasada.
25 g	Jamón serrano, chuleta de cerdo.

[36] Fuente: Unidad de Nutrición y Dietética Clínica del Hospital Ramón y Cajal, de Madrid. www.fisterra.com

Pescados con 2-6 gramos de grasa	
75 g	Almeja, bacalao, bacaladilla, besugo, berberechos, bogavante, breca, calamares, cangrejo, centollo, chanquete, chirlas, cigala, gamba, langostino, langosta, lenguado, lubina, merluza, mero, mejillones, mejillones en lata, ostra, palometa, pescadilla, percebe, pez espada, rape, rodaballo, salmonete, sargo, sepia, trucha, vieira.
50 g	Anchoa fresca, camarones, congrio, carpa, dorada, vieira.
Pescados con 6-12 gramos de grasa	
50 g	Anguila, angula, arenque, atún fresco, bonito, boquerón, caballa, cazón, jurel, mero, mujol, salmón, salmón ahumado, sardinas en lata.
35 g	Anchoas en lata, atún en lata.
Huevos	
90 g	Clara de huevo.
75 g	Huevo de gallina.
Frutos secos	
40 g	Almendra, altramuz, avellana, cacahuete, coco, piñón, pistacho, pipa de girasol, pipa de calabaza, nuez.
Quesos	
50 g	Roquefort, mozarela, *brie*, para sándwich, tierno.
30 g	Cabrales, gruyer, bola.
Proteína vegetal	
65 g	Tofu.
40 g	Seitán.
30 g	Soja.

3. ALIMENTOS HIDROCARBONADOS	
Cantidad de alimento por unidad de intercambio	Alimentos
Tubérculos	
50 g	Patata, batata, boniato.
12 g	Tapioca.

Legumbres y frutos secos	
20 g	Garbanzos, judías, lentejas…
Cereales y derivados	
20 g	Pan (blanco, integral, de molde), cereales de desayuno.
15 g	Arroz, galletas tipo María, harina, pastas alimenticias (fideos, canelones, espaguetis, macarrones, lasaña).
Azúcares y derivados	
30 g	Mermelada.
15 g	Bombones, miel.
10 g	Azúcar, caramelos.
Pastelería	
15 g	*Croissant*, bizcocho, donut, magdalenas.

4. FRUTAS	
Cantidad de alimento por unidad de intercambio	**Alimentos**
150 g	Acerola, arándanos, frambuesa, grosella, limón, melón, mora, pomelo, sandía.
100 g	Albaricoque, arándano, ciruela, fresa, fresón, granada, kiwi, manzana, mandarina, maracuyá, membrillo, melocotón, naranja, nectarina, papaya, paraguaya, pera, piña, zumo de naranja.
50 g	Breva, caqui, cereza, chirimoya, higo, lichi, mango, níspero, plátano, uva, piña en almíbar, melocotón en almíbar.
15 g	Uva pasa, dátil, dátil seco, higo seco.

5. VERDURAS Y HORTALIZAS	
Cantidad de alimento por unidad de intercambio	**Alimentos**
300 g	Apio, acerola, achicoria, acelga, berenjena, berro, brécol, calabacín, canónigos, cardo, col, coliflor, champiñón, colinabo, endibia, escarola, espárrago, espinaca, lechuga, lombarda, palmito, pepino, pimiento, rábano, setas, tomate.

| 200 g | Grelo, judía verde, nabo, puerro. |
| 100 g | Alcachofa, calabaza, cebolla, col de Bruselas, haba tierna, maíz dulce, remolacha, zanahoria. |

6. GRASAS Y ACEITES	
Cantidad de alimento por unidad de intercambio	Alimentos
70 g	Aguacate.
40 g	Aceitunas.
30 g	Nata, yema de huevo.
20 g	Mayonesa baja en calorías.
10 g	Aceite (oliva, girasol, maíz), mahonesa, mantequilla, margarina.